絶叫学級

コンプレックスの奴隷 編

いしかわえみ・原作/絵
はのまきみ・著

集英社みらい文庫

絶叫学級

コンプレックスの奴隷編

115
時間目
カリスマスクール

プロローグ

みなさん、こんにちは。
絶叫学級へようこそ。
私の名前は黄泉。
恐怖の世界の案内人です。
腰までのびた長い髪に、
猫のように光る金色の瞳。
下半身が見えないかもしれませんが、
気にしないでくださいね。
さあ、授業をはじめましょう！
突然ですが、みなさんは、自分がオシャレだと思いますか？

人間の世界では、オシャレな人ほどもてはやされるみたいですね。
はやりの服やアクセサリーを身につけていると、まわりから一目おかれるのだとか。
みなさんの学校ではどうですか？
オシャレな人は人気者になれますか？
それとも……………。
今回は、そんな「オシャレ」にまつわるお話です。

この世には、オシャレな人間とそうでない人間がいる。

そうでない人間は、オシャレな人間をただながめているだけ。

高校一年生の須万春花は、ただながめているだけの女の子だ。


お昼休み。

春花は、仲のいいひとみ、理子と三人つれだって、トイレから教室にむかっていた。

「つぎは数学か。ゆうべはあんまり予習できなかったな」

眼鏡の優等生、ひとみが心配そうな顔をする。

「予習なんかして、えらいね。私はまたイラスト描いてたよ」

美術部の理子がそう言った。

春花はふたりの会話を、聞くともなしに聞いていた。ひとみも理子も、春花と同じように地味で目立たない女子だ。

そのなかでも春花が一番おとなしかった。ととのえていないまゆげはぼさぼさ。髪型で遊んだことも、制服を着くずしたことも、メイクをしたことも、一度だってない。

春花が教室に入ると、クラスの女子たちのはしゃぐ声が耳に飛びこんできた。

「このアクセ、やばくない？」

「かわいい〜」

「このニットめっちゃかわいいけど、高っ！」

「やっぱさー、かわいいやつにかぎって高いよねー」

「ねーねー、このショップ知ってる？」

「知ってるー。今度いっしょに行こーよ」

見ると、教室の真ん中にオシャレな女子たちが集まって、ファッション雑誌をまわしよみしている。

その中心にいるのは、真野ミオ。

流れるような黒髪で、目もとはぱっちりと幅広の二重。耳に大人っぽい小粒のピアスをした、学年でも一番オシャレな女子だ。

春花の横にいたひとみが、まゆをひそめた。

「真野さんたち、学校にまた雑誌持ってきてる」

理子も真野たちをにらんだ。

「ふん。着かざることしか興味ないんでしょ。ね？　春花！」

「へっ？」

先に席についていた春花は、突然名前を呼ばれて、あわててふたりを見あげた。

「あ…………うん、そうだね」

ひとみと理子は、ぷんぷん怒っている。

「真野さんたち、雑誌のことでこの間先生に怒られたばっかりなのに」

「ぜんぜんこりてないよね」

（ひとみと理子、そんなに大きな声で言ったら、真野さんたちに聞こえちゃうよ……

……）

困った春花はうすら笑いを浮かべ、真野たちからかくれるように背中をまるめた。

そして、少しだけ首をまわして、おそるおそる真野たちのいるほうに目をやる。

オシャレ女子たちはみんな、大きな声でおしゃべりし、楽しそうに笑っていた。春花のように猫背になって、存在を消そうとなんてしていない。

（私みたいな人間は、オシャレな子をただながめているだけしかできないよね………）

春花がそう思ったとき、女子のひとりと目が合ってしまった。

するとと、別の女子が、わざとこちらに聞こえるように言った。

「ねー、なんか見てくるんだけど」

「この雑誌、見たいんじゃね？」

「えー。ウザい」

「貸してあげれば？」

「いいけど、見てもわかんないんじゃない？」

「キャハハハハ」

春花はあわてて顔をそむけ、また背中をまるめて縮こまった。

（これだからいやなんだ、オシャレな人って!!）

春花は真野のような人たちが、こわくて苦手だった。


終礼のあと、春花たち三人は掃除をしに図書室にむかった。

「真野さんたちも図書室の当番だったよね」

「ちゃんと掃除してくれるのかな」

「あの人たち、いつも口ばっかり動かして、手を動かさないもんね」

「そうそう。で、結局うちらだけが掃除をするわけよ……」

ひとみと理子の話し声を聞きながら、春花はぼんやりとろうかを歩いていく。

図書室につくと、三人はてきぱきと掃除道具を準備し、ほうきで床をはきはじめた。

遅れてやってきた真野たちは、ほうきを持ったまま、ろうかでおしゃべりをしている。

（やっぱり掃除してない……）

会話の中身まではわからないが、真野たちは、ふざけあったり、大声で笑ったりして、
とても楽しそうだ。

（なに話してるんだろう？）

春花はほうきを動かしながら、声が聞こえそうな場所まで近づいていった。

（ファッションの話かな……みんな服とかどこで買ってるんだろう……）

春花の気配に気づいたのか、真野が振りむく。

（またなんか言われる！）

とっさに春花は、かくれるようにして、書棚のうしろにしゃがんだ。

一時おしゃべりはやんだものの、しばらくすると何事もなかったかのように、話し声が聞こえてきた。

（……よかった。気づかれなかったみたい）

ほっと胸をなでおろし、春花が立ちあがろうとしたときだった。

「ん………？」

書棚にならべられている本と本の間に、手のひらほどの大きさの長方形の機械が、ぽつんとおかれている。

春花はそれを手にとって、立ちあがった。

（携帯電話？）

古い形の携帯電話だった。

写真では見たことがあったが、本物を見たのは初めてだ。

それはふたつに折りたたまれており、パカッと開くと片面に小さな液晶画面があり、もう片面に数字を記したボタンがならんでいる。

「古……………」

春花は、開いた電話を、またパカッと閉じた。

「変なの。いちいち開かないと電話できないんだ」

電話のはしには小さな穴が開いていて、そこにストラップが通されている。

ストラップには、こぶしほどの大きなハイビスカスの造花がついていた。

「でっかい飾りだなあ。こんなのつけてて邪魔じゃないのかな」

「なにそれ」

そこへ、ひとみと理子がやってきた。ふたりとも、物めずらしそうに携帯電話をのぞきこむ。

「古い携帯電話みたいだよ」

春花が差しだすと、理子が受けとって、電話をパカッと開いた。

「うわ。画面ちっちゃ！」

理子が笑うと、ひとみも笑った。

「ほんとだ。見にくーい」

「たしか、これでメールもできるんだよね？　こんな画面で見るの？」

「無理でしょ」

理子があちこちのボタンを押してみたが、携帯電話はうんともすんとも言わない。

「電源は入らないか〜」

「古いし、とっくに充電がきれてそうだよね」

理子が持ちあげた携帯電話をよく見ると、電話機の裏にシールのようなものが二枚貼ってある。春花がそれを指さした。

「あ、プリクラ！」

「なんか、いまのプリとちがうね。盛ってない」

小さな二枚のプリクラには、三人の制服を着た女子高生が写っていた。

一枚はバストアップ写真。女子高生たちは、顔の近くでピースサインを作ったり、舌をぺろりとだしたり、ウインクしたりと、思いおもいのポーズをとっている。

もう一枚には全身が写っていた。三人とも両手をひろげたポーズでにっこり笑っていて、とても楽しそうだ。

(まるでティーンズ雑誌の表紙みたい)

どちらのプリクラ写真も、真ん中にいるのは、ひときわ派手で目立つ少女だった。

(この子、かわいい……………)

制服のスカートは思いきり短くて、腰にセーターを巻き、耳には大きなフープイヤリングをしている。

いまどき、あまり見かけない、ギャルファッションだ。

ひとみと理子が、プリクラを見てくすくす笑う。

「ギャルだ。わー、古い」

「これって、二十年以上前かな?」

けれど春花は、真ん中に写っている派手な少女に見とれてしまった。

(ギャルか。でもこの子はかわいいな)

背中までかかるツヤツヤの茶髪に、細くととのえたまゆ、健康的な肌色。

ほっそりとスリムな体形で、まるでモデルのように手足が長い。

つけまつげとカラーコンタクトレンズで盛った目もとも、グロスでピカピカに光った唇も、春花にはとても印象的で、かわいく思える。

(クラスの中心にいるタイプかな?)

二十年以上前、この子はクラスの中心だったはず。きっと、真野のような存在だったのだろう。

理子がぽつりと言った。

「なんかこういう人たちって、やっぱ苦手だな」

「そうだね」

ひとみがうなずく。

「落とし物係のところに持っていったほうがいいかもよ」

理子が携帯電話を春花にかえした。春花は、プリクラをまじまじとみつめる。

（この子がはいてる靴下、ダボッとしててかわいいな。どうやってるんだろう？）

プリクラの少女は、長いゆるめのソックスをくしゅくしゅとさせ、くるぶしのすぐ上のあたりでたるませてはいている。

（……………ルーズ、っていうんだっけ、こういうの）

いまの時代では見かけないスタイルに、春花の胸はときめいた。

結局、春花は携帯電話を落とし物係にも先生にも渡さず、家に持ちかえってしまった。


「おはよう」

つぎの日、登校してきた春花を見て、ひとみと理子は思わず叫んだ。

「春花、その靴下！」

「なにそれっ！」

春花のソックスが、くるぶしの上でくしゅっとたるませてあったのだ。

「え」

春花は教室の入り口に立ち、真っ赤な顔をして口ごもった。

「あ……えっと……」

ソックスはほんの少ししかたるませていない。それでも一度も制服を着くずしたことがない春花がやると、とても目立ってしまった。

(これくらいなら、わからないと思ったのに)

ひとみと理子が近づいてきて、まゆをつりあげる。

「ダサいよー!」

「もしかして、昨日のケータイの真似?」

そのとおりだった。

こういうオシャレは、プリクラの少女には似合っても、地味な春花には似合わないのだ。

春花はがっくりと肩を落として、席についた。ソックスを人に見られたくなくて、机の下に足をかくしてしゅんと小さくなる。

(ちょっとかわいいと思ったんだけどな。古いかもしんないけど……)

ふうっと大きな息をはいたそのとき、近くを通りかかった真野が言った。

「かわいいじゃん、そのルーズ」

「えっ！」

春花は弾かれたように立ちあがった。

ひとみと理子もおどろいて、春花と同じように目をまるくしている。

真野は春花の席を通りすぎながら、にこっと笑った。

「それ、目立ってるしー」

「あ………」

春花は口をパクパクさせた。

（ま、まさか、人気者の真野さんにほめられるなんて………！）

真野は、友だちに呼ばれて、すぐに立ち去ってしまった。

そのうしろ姿をみつめながら、春花は心のなかで叫んだ。

（わ――――!!）

うれしくて、まいあがりそうだった。

（かわいいって………目立ってるって言ってくれた!!）

その日は下校のときまでずっと、春花は興奮していた。

校門をでてからも、春花は携帯電話をしっかりとにぎって歩いた。ハイビスカスのストラップごとにぎっているから、てのひらがちくちくする。

途中までいっしょに帰るひとみと理子には、携帯電話をまだ持っているということはないしょだ。

(あの真野さんが……キャー——!!)

思いだすたびに心臓がドキドキして、携帯電話を持つ手に力が入る。

プリクラの少女の真似をしてルーズソックスをはいたら、真野は「かわいい」と言ってくれた。真野にも、ルーズソックスはオシャレに見えたということだ。

(やっぱりオシャレな人が身につけてる物には、オシャレな人が反応するんだ)

ニヤニヤ笑いながら歩く春花を、ひとみと理子があやしそうにながめる。

すると、理子が思いついたように言った。

「ねえ、駅前のショップ寄らない?」

ひとみも買い物に乗り気のようだった。春花の足もとを見ながら言う。

「私もルーズ買おうかな」

「え………？」

春花は困惑して顔をそむけた。朝はものすごいいきおいで「ダサい」とバカにしていたのに。

理子は悪びれもせずに笑う。

「朝はああ言ったけど、ダサかわいいかも」

「うん。ダサかわいいよね」

「行こ行こー」

足早に駅前にむかっていくふたりを、春花は無言でみつめた。

「…………」

(てゆーか、真野さんがああ言ったから、ダサかわいいと思いなおしたんだよね)

春花の心はすっかりさめてしまって、いっしょに行く気にもなれない。

(ふたりだって本当はオシャレしたいくせに、勇気がないからっていつも否定ばっかして)

春花はその場に立ちどまって、つぶやいた。

「こんな子たちと同じでいたらダメだ……………」

変わりたかった。

プリクラの少女のように、印象的でオシャレな女の子に変わりたかった。

春花はくるりときびすをかえすと、書店にむかって走りだした。


帰宅した春花は、早速自分の部屋に閉じこもった。

お小遣いをはたいて買ってきた何冊ものファッション雑誌を、ベッドの上にならべる。

ついでに、あの携帯電話も、プリクラの貼ってある面を表にしてならべた。

「と言っても、なにを参考にすればいいのか」

雑誌を前にしてベッドに座り、腕組みをして考えこむ。

すると、今朝の真野の声が、頭のなかによみがえった。

――かわいいじゃん、そのルーズ。

春花はまたうれしくなって、ふふっと微笑んだ。

「真野さんも、ああ言ってくれた。ルーズはまちがってなかったってことだよね」

雑誌よりも、プリクラ少女のギャルファッションのほうが参考になりそうだ。

「よーし！」

春花は携帯電話を手にとり、気合を入れてプリクラをみつめた。

(なにかとりいれられそうなものが、もっとあるはず——)


数日後の朝。

春花が教室の扉を開けると、ひとみと理子が振りかえった。

「春花？」

「どうしたの、それ……」

ふたりを無視し、春花は背筋をのばして教室に入っていく。

(今日はルーズソックスだけじゃないよ)

毛先をゆるくまいた髪は、左サイドだけ高い位置で結んで、そこに大きな赤いハイビスカスの造花をつけてみた。

襟もとのリボンも、学校指定の細いものではなく、チェック柄の大きなリボンに変え、シャツのボタンはひとつはずしている。

（スカートだって、短くなるように、ウエストの部分で何度か折りかえしてある。プリクラの子のスカート、すごく短かったもん………）

完全に、二十年以上前の女子高生ファッションだ。

（………ダサいかな）

歩く春花の胸が、緊張でドキドキと高鳴る。

おちつくために、手にはしっかりとあの携帯電話をにぎっていた。

（で……でも、誰かが言ってた。オシャレの流行はくりかえすって。これだって、いまやれば最新かもしれない）

「………ですよね？」

と、春花はプリクラ少女に問いかけるような気持ちで、小さくつぶやいた。

春花がむかうのは、真野の席。真野は友だちとふたりで、ファッション雑誌のページを指さしながら、楽しそうにおしゃべりをしている。

「これこれ。この帽子、買ったよ」

「まじー？　さすがじゃん」

「けっこう合わせる服がむずかしくてさ」

「かもね。真野クラスじゃないと、かぶりこなせないでしょ、この帽子」

真野のすぐうしろまで近づいた春花は、緊張して心臓が飛びだしそうになるのをおさえながら、大きな声で話しかけた。

「それ、かわいいよね。私も買おうと思っててさ」

真野たちがいっせいに振りむいた。冷たい視線に、春花の表情がこおりつく。

「…………こ、今度…………いっしょに…………」

春花がしどろもどろになっていると、真野たちはしらけた表情を浮かべた。

「なに？　急に」

「距離感、こわ…………」

冷たい視線に耐えられなくなった春花は、頰をひきつらせ、自分の席にむかった。

背後から、真野の声が聞こえてくる。

「なに、あの格好」

真野は、完全に春花のことをバカにしていた。それに、気味悪がっているようにも聞こえた。

その日、春花は一日じゅう誰とも口をきかず、うつむいたまますごしたのだった。

春花は悲しい気持ちのまま家に帰って部屋着に着がえ、ベッドに横たわった。

枕で顔をぎゅうっとおおい、そのままごろごろところがる。

「……………どうして？　この間はかわいいって言ってくれたのに、なにがまちがってたの？　もうわかんないよ…………」

涙があふれ、枕がしっとりぬれる。

春花は枕をわきへおき、寝ころがったまま携帯電話を手にとった。

(この子はこんなにかわいくて、楽しそうなのに)

プリクラの少女の目は、つけまつげとカラーコンタクトレンズのせいで、ずいぶん大きく見えた。その瞳で、春花のことをみつめかえしてくる。

少女の瞳の力強さに、春花はどんどんひきこまれていった。

（オシャレでかわいい女の子………私もこの子みたいになりたい………）

突然、春花はベッドから体を起こし、立ちあがった。

「………ちがう。私が中途半端なんだ。もっと追究しないといけなかったんだ」

プリクラ少女の瞳が、はげますように春花をみつめている。

「だってこんなにかわいいのに、まちがえてるわけない！」


それから春花は、学校から帰ってくると、なにかにとりつかれたように鏡にむかった。

（もっともっと、オシャレに――）

少ないお小遣いでメイク道具を買いそろえ、派手でかわいいメイクを研究する。

「まゆげを抜いて、もっと細くしなきゃ」

ぼさぼさだった春花のまゆは、アーチを描くような細いまゆになった。

「つけまつげは一枚じゃたりないよね。片目に二枚は必要。カラコンで瞳を大きく見せなくちゃ」

つけまつげもアイメイクも、どんどん盛られていった。

「あと、肌はツヤがでるようにして……」

ある日、プリクラ少女を見ると、以前より肌の色が濃くなったように思えた。

（おかしいな。プリクラの写真が変わるはずないのに）

でも、少女のメイクは、前より大胆になっているし、髪は茶髪を通りこして、銀髪に近い色になっている。

「まあいいか。このくらい大胆にしたほうがオシャレってことだよね？」

春花は学校を休んで「オシャレ」を追究しつづけた。服や小物もそろえるころには、またお小遣いがなくなってしまった。

（でも、これでもまだたりない。もっともっとオシャレにならなくちゃ――）

とうとう春花は、母親の財布からお金を盗んでしまった。

けれど、気づかれてもかまわなかった。それよりも、「オシャレ」になるほうが大切だ。

春花は部屋に閉じこもり、鏡の前に立つ。

プリクラ少女と自分をくらべて、満足そうににっこり笑った。

「我ながら、カンペキじゃない？」

そのとき、ドアをノックする音が聞こえた。

「ちょっと、春花。学校にも行かないで、お金を盗むなんて、どういうこと!?」

「うん。日焼けサロンに行ってきたの」

母親がドアを開けて入ってくる。

「日焼けサロンっていったい――」

春花が振りむくと、母親はひぃっと小さな悲鳴をあげた。

「は……春花!?」

絶句する母親をみつめて、春花は幸せそうな笑みを浮かべた。


ひとみと理子は、学校を欠席している春花のことを心配していた。

昼休みに、ふたりは教室から窓の外をながめながら、すっかり意気消沈していた。

「学校に来ないね、春花」

「体調が悪いって、春花のお母さんは言ってるみたいだけど、本当かな」

「体調が理由じゃない気がする」

ひとみがそう言うと、理子の表情がくもる。

「だって、うちらに怒ってるっぽかったもんね」

「怒ってんのもあるけど、ちょっとおかしいよね、あの子」

「……たしかに」

ふたりの胸はざわついた。思いあたることがひとつあったからだ。

「あの携帯、ひろってからじゃない……？」

理子の言葉に、ひとみがうなずいた。

「うん。私もそう思う」

そのころ、ろうかでは真野と友だちふたりが、おしゃべりをしながら歩いていた。

三人とも制服の上に思いおもいのカーディガンやパーカをはおり、歩くだけでみんなの注目をあびている。

「真野ー。日曜、原宿でいいよね」

「いいよー」

「ねえねえ真野、こないだネットで見たスニーカー、ほしくない？」

「あれかわいかったよね！」

と、そのときだった。

はしゃぐ三人のうしろから、か細い声がした。


「真野さん」


振りかえった三人が、ぎょっとして目をむく。

そこに立っていたのは、おぞましい姿をした制服の女子だった。

真っ黒に日焼けした肌。

目はつけまつげで盛られ、そのまわりは、くまどりのように白いハイライトカラーで塗られている。唇も同じように真っ白だ。

金色のカラーコンタクトレンズのせいで、瞳孔が小さく縮んで見える。

頬にはキラキラ光るラインストーンがちりばめられ、白髪に見えるほど脱色された髪は、

ボリュームたっぷりにカールさせてあった。

両方のこめかみのあたりに、赤いハイビスカスの造花をつけていて――――。

「え……誰……」

真野たちの表情がこわばる。

メイクだけではなく、少女が着ている制服も、いまの流行りとはかけはなれていた。

下着が見えそうなほど短いスカートに、だらんとたれさがったルーズソックス。

靴底が十センチはありそうな厚底のシューズ。

ベストの下に着た白いシャツは、そでをまくりあげ、両手首に太いバングルをつけていた。

完全に、二十年以上前のギャルファッションだ。

制服のギャルは、白い唇のはしをゆっくりあげて、ニッと笑った。

「今度いっしょに、日サロ行かない？」

彼女は、変わりはてた姿の春花だったのだ。

けれど、真野たちは誰も、それが春花だとは気づかない。

真野は、おびえる気持ちを押しかくして、強気にふるまった。

「あ………あんた、鏡見た？」

そして、はきすてるように叫んだ。

「化け物じゃん!!」

カラーコンタクトレンズをした春花の瞳が、真野たち三人をじろりとにらんだ。

三人はビクッと体をすくめる。

「な、なんなの？」

「こっち来んなって！」

「どっか行け!!」

真野たちにつきとばされ、春花はろうかにしりもちをついた。

これでは本当に化け物あつかいだ。

真野たちが走ってろうかを逃げていくと、入れかわりにひとみと理子がかけ寄ってきた。

「は、春花？」

「春花だよね？」

ろうかに座りこんだ春花は、呆然と床をみつめていた。

（こんなにオシャレになったのに、真野さんたちはわかってくれない…………）

すると、ひとみがしゃがんで、春花をのぞきこんだ。

「ごめん、うちら……いやなことばっかり言って」

ひとみの声に春花がはっと我にかえり、顔をあげる。

理子も床にひざをついた。

「春花が急にルーズとかはきだして、遠いところに行っちゃう気がして、さびしかったんだ」

春花は思いだした。

この奇妙な携帯電話をみつける前、ひとみと理子の三人で、ファッション雑誌を読んだことがあった。

――このバッグ、かわいいよね。

――でも、うちらには似合わないでしょ。

――あはは。だよね～。

そんなことを言いながら、三人は笑いあったのだ。

理子の目がうるんでいく。

「………でもちがったよ。春花は別に遠いところになんか行ってない」

涙ぐんだ理子は、きっぱりと言った。

「今度、三人で原宿に行こうよ」

化け物のようだった春花の表情に、やわらかさが戻ってきた。

「買い物に行って、みんなでオシャレしよう！　そんな格好やめてさ」

ひとみと理子は、春花に笑いかけた。

ところが、春花は微笑みかえさなかった。まぶたを閉じて、すうっと長い息をはく。

（………そんな格好？）

つぎの瞬間、春花はまるでふたりになぐりかかるかのように手を振りまわしながら、がばっと立ちあがった。

「ひゃっ………!!」

「どうしたの、春花!?」

おびえてよけるふたりをおいて、春花はその場を走り去った。

春花は心のなかで叫んだ。

(そんな格好ってなによ！　みんな、ぜんぜんわかってない！　こんなカリスマ、ほかにはいないのに!!)

春花があこがれて真似をしていたプリクラの少女は、いつの間にか別人に変わっていた。

けれど春花は、それに気づいていなかった。

いま、春花が真似をしているのは、あの少女ではなく――。


春花は走って図書室にむかった。

そこには、この学校の過去の卒業アルバムが全部保管されている。プリクラの少女も、アルバムのどれかにのっているはずだった。

プリクラには「1999」という西暦が刻まれていた。春花はその年のアルバムを書棚からとりだし、床にぺたんと座って、ページをめくりはじめた。

「きっと人気者だったよね……そうにきまってる」

そのころ、ひとみと理子は、心配そうに学校のあちこちをさがし、走りまわっていた。

「春花、どこ行ったのかな」

「校舎のなかだとは思うけど………」

教室にも、校庭にもいない。

理子はバタバタと走りながら、最近知ったある事実を、ひとみに伝えた。

「そういえば、あの携帯のことと、写ってた人のことを、先生に聞いてみたの」

「先生はなんて？」

「一九九九年にあんなギャルの子、生徒にはいなかったって」

「どういうこと？」

ひとみが不審そうに顔をしかめて立ちどまり、理子も立ちどまった。

「かわりに、正反対の子がいたんだって、先生が言ってた」

「………えっ？」

「暗くて、おとなしくて、でもその子はオシャレな子にあこがれて、ギャルになりきって注目をあびようとしたけど、誰にも相手にされなくて」

「それでどうなったの？」

「思いつめて、学校で自殺しちゃったんだって」

図書室にいた春花は、一九九九年の卒業アルバムをめくり、プリクラの子が写っていないかとたしかめていった。

「………いない………どこにもいない………なんで？」

最後のクラス写真のページで、春花の手がとまる。

そのなかのひとつの写真が、黒いペンでぐしゃぐしゃに消されていた。写真の下の名前も、同じようにペンで消されている。

（なんで塗りつぶされてるんだろう………）

写真の女子は、顔は消されていてよく見えない。しかし、真っ黒に日焼けした肌をして、髪が白くなるほどに脱色されているのがわかる。

（でも、プリクラの子じゃないよね。あの子はもっとかわいくて………）

床においた卒業アルバムをみつめていた春花は、なにかの気配を感じて、耳をそばだてた。

気配のするほうへ、おそるおそる顔をむけていく。

すると、春花と完全に同じ格好をした少女が立っていた。

少女はだらしない体つきをして、みにくく肌が荒れ、無理に着くずした制服は真っ赤に染まっていた。

よく見れば、少女の頭はぱっくり割れ、血が流れだしている。

「…………………!?」

春花の顔が恐怖にゆがんだ。

化け物のようなメイクをした少女が、自分と同じ格好をした春花を見おろす。

そして、白い唇のはしをあげ、ニッと笑った。


それからしばらくして、ひとみと理子は、図書室にかけこんでいった。

「春花、いる？」

「春花ー。どこー。いたら返事してー」

春花の返事はなかった。

ひっそりとした図書室には、誰もいなかった。

床には、ページが開かれたままの卒業アルバムと、そのそばに携帯電話が放りだしてある。

「このケータイ……」

理子は携帯電話を手にとり、ひとみといっしょにプリクラを見た。

けれど、最初に見たときと、写真の様子があきらかに変わっている。

「ねえ。最初からこんな写真だったっけ?」

理子が首をかしげる。

いまのプリクラに写っているのは、真っ黒く日焼けして、化け物のような奇妙なメイクをしたふたりの少女だった。

ふたりは仲良く顔を寄せあい、ポーズをとっている。

「右にいる子、なんだかさっきの春花に似てるような……」

その日以降、須万春花は行方不明になり、いまだにみつかっていない。

エピローグ

百十五時間目の授業は、これで終わりです。

オシャレにあこがれた少女がみつけた携帯電話は、二十年以上も前のものでした。

プリクラに写っていたのは、当時流行だった「コギャルファッション」の少女。

いまではもう見かけないスタイルですよね。

ちなみに、真っ黒に日焼けして、目のまわりや口を白く塗るメイクを、当時は「ガングロメイク」、そういうメイクをしたギャルを「ヤマンバ」と呼んだそうです。

いつの時代にも、オシャレな人とそうでない人がいます。

そして、オシャレではない人でも、その気になればいつだってオシャレに生まれ変わることができます。

でも、やり方をまちがえると、とんでもない結果になってしまうことも。

みなさんも、自分なりのオシャレを楽しんでくださいね！
ところであの携帯電話、いったい誰のものだったのでしょう？
みなさんは、どう思いますか？

116
時間目
見下ろす女

プロローグ

こんにちは。

こわい話が大好きなみなさん。

百十六時間目の授業をはじめましょう。

みなさんは、コンプレックスがありますか？

たとえば、みんなより声が低い、食べるのが遅い、歌をうまく歌えない、犬の絵を描いたのに「ネズミの絵だね」と言われてしまうほど絵が苦手………など。

今回の主人公は、身長が高いことがコンプレックスのようです。
人には、自分の努力では変えられないこともあります。
背の高さは、そのひとつでしょう。
もしも、努力では変えられないことを変えてくれる神様がいるとしたら。
みなさんはどうしますか？
なにを変えてもらいますか？
今回の主人公は、うまくコンプレックスを消せたでしょうか。
さあ、いっしょに見てみましょう。

六年二組の、水曜日の五時間目は、国語の授業だ。

その日は板書が多く、黒板にはぎっしりと文字が書かれていた。授業の終わりが近づき、
先生がみんなに声をかける。

「ノートに全部写したかー。消しちゃうぞー」

「先生、待って」

「まだ写してないでーす」

すると、一番うしろの席に座っていた男子が、手をあげて立ちあがる。

「せんせぇー」

「ん？　なんだ？」

「大山さんが邪魔で、黒板見えませーん」

前から二番目の席に座っていた大山育は、ぎくりとして体を縮め、頭をひっこめた。

教室のあちこちから、クスクス笑う声がひびく。

(あーあ。六年生の十一月で身長が百七十センチメートルって、でかすぎだよね。学年の女子で一番背が高いし、なんなら男子よりも高いし……)

服も、男子が着るようなシンプルなデザインのものしか似合わない。

(この髪型だって、少しでもかわいく見えるようにツインテールにしてるけど……似合ってないよなー)

「はー？　見えない？　しかたないな。大山、ちょっとよけてやれ」

先生が言った。

育は両手で教科書を開いたまま、みんなの邪魔にならないように体をまるめた。

「は、はい……」

(はずかしい)

背中をツーッと冷や汗が流れる。

(だから一番うしろがいいって言ったのに。くじ引きって……)

この席はくじ引きできまってしまったのだ。育はかえてほしいと言ったのに、クラス委員はとりあってくれなかった。

（この身長、誰かとめて………）

育はカメのように頭をひっこめながら、心のなかでそう願った。

（みんなのつむじばっかり見おろす毎日なんて、もういや）

授業が終わると、雛子と雪乃が席にやってきた。

育のほうが、ふたりより頭ひとつぶん背が高い。育が椅子から立ちあがると、雛子と雪乃は育を見あげた。

「気にすることないよ、育ちゃん」

雛子が微笑む。雛子もツインテールにしているが、小柄な雛子には、その髪型が似合っていた。

雪乃が真剣な顔ではげます。

「そうだよ。モデルみたいでかっこいいじゃん」

「バスケ選手とかなれるじゃん。すごいよー」

一生懸命にほめてくれるふたりに、育はにっこりと笑顔をかえす。

「…………ありがと」

でも、心のなかはゆううつだった。

(私みたいな平凡顔、モデルなんてムリだし。スポーツもぜんぜんできないし…………)

「育ちゃん、とにかく気にしちゃダメだよ！」

「元気だしてね、育！」

「う、うん…………」

「私たち、トイレに行ってくるけど、育ちゃんは？」

「…………私はいいや」

「そっか。じゃあ、またあとでねー」

育はあまりろうかにでていきたくなかった。また「でかい」だとか「邪魔」だとか言われるのがこわい。

(おまけに私、性格も暗い…………)

しばらくすると、少しはなれた場所から、雛子の声が聞こえてきた。

「高田くん、これ見てー」

（高田くん………!?）

育が振りかえる。

見ると、黒板の近くで、雛子と高田和真が楽しそうに会話をしていた。雛子は両手の指を組みあわせて、なにかの形を作っている。

「これ、犬の形だよ。おもしろいでしょー。あはははは」

「それなら俺もできるよ。ウサギの形」

和真も指を組みあわせて、別の形を作った。

（いいな。楽しそうだな）

気さくでやさしい和真は、クラスで一番人気のある男子。ほかの男子よりは背が高いが、それでも育よりは小さい。

（高田くんは百六十八センチ。私のほうが二センチでかい………）

あこがれの男子よりも背が高いなんて。そう考えて、育はまたがっくりと落ちこんだ。

（フツーの身長の女の子になりたかったなぁ………）

学校から少しはなれた岬ぞいに住んでいる育は、路線バスで通学していた。同じバスで帰る友だちはいないため、いつもひとりだ。

下校時に、育がバスターミナルの列にぼんやりならんでいると、うしろから声がした。

「見ろよあれ！　でけー女!!」

「ほんとだ！」

育はビクッと身をすくめた。男子高校生たちがこちらを指さしながら話している。

（………なれてます、なれてますとも）

「でかい」と言われることにはなれている。育は頭をひっこめ、なるべく目立たないようにうつむいた。ところが。

「あのワンピース女、でけー！」

（ワンピース？）

育ははっと顔をあげた。育の今日の服装は、マフラーとニットのカーディガン、ショートパンツにタイツ。ワンピースは着ていない。

(私のことじゃなかった！)

育は男子高校生たちの視線の先を見た。

すると、別のバスを待つ列に、ひときわ背の高い女が立っていた。

女は、小花柄のワンピースを着ている。

(あの人のことだ)

こちらに背中をむけているので顔はわからないが、黒くまっすぐの髪は腰にかかるほど長く、手足もひょろりと長い。

こんなに背の高い女がいたら、すぐに気づきそうなものだが、気づかなかったのは、きっと育がぼんやりしていたせいだろう。

(わあ……。私と同じくらいの人ってめずらしいな。私のほうが少し低い？)

育は女のうしろ姿をまじまじとみつめた。

(ワンピの模様は、バラの花と葉っぱかな。ああいう壁紙あるよね。背が高いと、好みのデザインでサイズも合うワンピースを見つけるの、むずかしいだろうなー)

ふうっと大きなため息をつく。

（あの人もいろいろ大変なんだろうな。いやなことたくさん言われて…………）

そして、思わず声にだしてつぶやいてしまった。

「こんな身長、いらないよ………」

育の声は小さすぎて、まわりに立っている人の耳にはとどかなかったようだ。

あの男子高校生たちは、列のうしろのほうで、もう別の話題のおしゃべりをはじめていた。


つぎの日。

「おはよー」

朝の弱い育は、半分ねぼけたまま、ぬうっと洗面室に入っていった。

すると、中学三年生の兄が、ちょうど顔を洗っていた。水にぬれた顔をあげた兄は、育を見るなりおどろいて叫ぶ。

「うお！」

育は眠い目をこすりながら、兄を見おろした。

「びびった、育か！　ぬりかべかと思ったわ」

洗濯かごを持って通りかかった母親が、兄をたしなめた。

「朝から妹をからかうんじゃないわよ」

「でも育、俺よりでかいじゃん。無言でそばに立ってられると、びびるんだよ」

「そんなこと言ってないで、早く着がえて支度しなさい」

「へーへー」

母親にこづかれ、兄は自分の部屋に戻っていった。

育がまだねぼけまなこで立っていると、母がふしぎそうに首をかしげる。

「あら？」

「なに、お母さん」

「おかしいわね。育、目線が…………」

育より二十センチほど背が低い母親は、つま先立ちして育の顔を見た。それから今度は、かがんで下からのぞきこむ。

「あんた、身長縮んだ？」

そんなこと、あるはずがない。育はぼやっと笑った。

「まさかー。あるはずないって。目の錯覚だよ」

「そうよねえ」

母親は、あっはっはと笑いながら洗面室をでていった。

（縮むわけないよ。でも………）

育は鏡に映る自分の姿をみつめた。

「もしかして、小さくなってる？」

言われてみればたしかに、ほんの少しだけ目線の高さが変わったような気がしたのだ。

放課後になり、育は雛子と雪乃を誘い、保健室にむかった。

「――だから測ってみようと思って」

雛子と雪乃は育の話を聞いたものの、半信半疑だ。

「身長って、縮むものだっけ？」

「聞いたことないよねー。のびるならわかるけど」

「錯覚とか、勘ちがいじゃないかなー」

保健室につくと、育は上ばきを脱ぎ、おそるおそる身長計の上に足をのせ、アルミの支柱に背中をつけた。

雪乃が背のびをして測定バーをおろしていき、目もりを読む。

「百六十八・二センチ」

それを聞いたとたん、育はわなわなと震えだした。

「う、うそ………」

「え？　え？　なにが？」

「育、どうしたの？」

育の身長は百七十センチだった。ということは、一・八センチも小さくなっている。

「縮んでる………なんかわかんないけど、百六十八センチになってる!!　うれしい!!」

育がジャンプするように身長計からおりると、雛子と雪乃もいっしょになってよろこんだ。

「育ちゃん、よかったね」

「やったじゃん。でもそれ約百七十センチでしょ。やっぱ高いよねー」

「高田くんとあんま変わんないよ」

さっきまで震えるほどよろこんでいた育の表情が、とたんにくもった。

(ふたりが意地悪で言ってるわけじゃないって、わかってるけど………)

育は作り笑いをした。


放課後、学校をでた育は、ひとりでバス停の列にならんだ。

(あんまり変わらない………)

保健室で言われたことが頭からはなれず、また声にだしてつぶやいてしまう。

「ふたりの言うとおりかも………はは………」

むなしい笑いがこみあげた。

(高田くんだって、同じ身長の女なんていやだよね)

ふと視線を移すと、別のバスを待つ列に、あのワンピースの女がならんでいる。

（またあの女の人…………）

女は、そのうしろにならんでいるパーカを着た男性よりも、十センチほど背が高い。目立つほどに背が高いのに、今日もしばらく気づかなかったことがふしぎだった。

（なんで気づかなかったのかな？）

ちょうどそのとき、育ののるバスがやってきた。列が動きだし、育はワンピースの女のすぐ近くを通りすぎた。

（あれ？）

育は歩きながら、女のうしろ姿を目で追った。

（この女の人、こんな身長高かった？）

昨日見かけたときは、育より少し高いくらいだったのに、今日は十センチくらい高く見える。

育は、手のひらを身長計の測定バーのように頭にあてて考えた。

（もしかして…………私が一・八センチ縮んだから、そんな気がするだけ？）

考えこんで立ちどまっていると、バスの運転手がマイクを使って言った。

「お客さん、のるんですか？」

「あ！　の、のります！」

育は大あわてでバスのステップをあがり、振りかえって窓の外を見る。

しかしそこに、ワンピースの女の姿はなかった。

（いない………）

プシューッという音とともにドアが閉まり、バスが発車する。

（あの人、どんな顔してるんだろう）

今日も育が見たのは、女のうしろ姿だけだった。


「ふわぁ………眠い」

朝、育があくびをしながら洗面室に行くと、洗濯をしている母親とでくわした。

「おはよー」

「おはよう――」

洗濯機にタオルを放りこんでいた母親が、はたと手をとめてまゆ根を寄せる。

「――――て、あんたちょっと」

「ん？　なーに？」

「また縮んでない？」

「…………え？　また!?」

「そこで測ってみなさいよ」

母親が指さした壁には、目印の線と数字が、ペンで書いてある。

これは育と兄が、小さいころから毎年、身長を書きこんできた目印だった。

育が壁に体をぴったりつけると、母親が目印の数字を読みあげる。

「百六十五センチ。去年の育の身長に戻ってるわ」

「うそ」

「あんた、やっぱり縮んでるわよ」

「え…………!?」

育はあわあわして両腕をひろげ、自分の体を見まわした。

（なにこれ！　なんで!?）

体のどこかが痛いというわけでもない。変なものを食べたわけでもない。

それなのに、二日間で五センチも身長が縮むなんて、どう考えてもおかしい。

そのときなぜか育の頭のなかに、あのワンピース女の姿が思いうかんだ。

（どうしてあの人のことが思いうかぶんだろう？）


その日は授業中もずっと、おちつかない気持ちでいた。

（なんでこんなにあの人のことが気になるんだろう。同じ背の高い者同士だからかな）

放課後になると、育は急いで帰り支度をしてランドセルを背負った。

教室をでようとしたところで、雛子と雪乃に声をかけられた。

「育ちゃん。今日は保健室に身長測りに行かないの？」

「今日はいいや」

「そっか。じゃあまた明日ね。バイバーイ」

「うん。バイバイ」

育はふたりに手を振って、教室を飛びだしていった。

走ってバスターミナルに行くと、もうあちこちのバス停に人がならびはじめていた。

（………今日はいないのかな）

あたりを見まわすが、ひょろりと背の高いあの姿は見あたらない。

と、そのときだった。

育は自分のすぐ横に、突然、誰かの気配を感じた。

ちらりと視線を動かすと、そこにはあのワンピース女がぬっと立っていた。

しかし、あきらかに身長がおかしい。

（昨日より、高くなってる………）

昨日は育との差が十センチほどだったのに、今日は二十センチくらいの差がありそうに感じる。

（こ、これってもしかして………）

育は女の顔をたしかめようとしたが、長い髪にかくれて口もとあたりしか見えない。

女の閉じたうすい唇は、青白くて血の気がなかった。

バスの到着する音がして、育は反射的にそちらに顔をむける。数秒後にもう一度横を見ると、女はいなくなっていた。


つぎの日、育と雛子、雪乃の三人は、お昼休みに保健室に行った。

雛子と雪乃は、ふしぎそうに育の体をながめる。

「育ちゃん、服がブカブカになってない？」

「そでも長くて邪魔そう。まくったほうがいいよ」

「うん。なんかさ、急に服のサイズが合わなくなってきちゃって……」

身長が低くなったせいで、持っている服のサイズはどれも少しずつ合わなくなってしまったのだ。

育はチェック柄のコットンシャツのそでをまくり、身長計にのった。

雛子が目もりを読みあげる。

「百六十三・四センチ……」

また小さくなっている。育は確信した。

(やっぱりそうだ。あの女の人に会うたび、背が縮んでる)

ということは、会えばもっと小さくなれる。好きな身長まで縮むことができるのだ。

そう思うと、期待で背筋がぞくぞくし、育の腕に鳥肌が立った。


また水曜日がやってきた。五時間目の授業は、板書の多い国語。

先週、一番うしろの席の男子に「黒板が見えない」と言われてしまった、あの授業だ。

「黒板消すぞー」

黒板消しを持った先生が、教室を見まわしてそう言った。

「先生、待って!」

「まだ写してない!」

みんなからあがった声は、それだけだ。

(よかった! なにも言われない!!)

育はほっとして大きく息をはき、満足そうに笑った。

(先週とくらべたら、七センチも小さくなったんだし。もう邪魔なんて言わせないから)

それからも毎日、育は学校帰りのバスターミナルでワンピース女をさがした。

毎日みつけられるわけでもなかった。でも、女は育の下校と似たような時間にバスにのるのか、週に二、三回は会える。

奇妙なのは、いつも同じ小花柄のワンピースを着ていることだ。

（あの服、お気に入りなのかな？）

それだけではない。近くまで寄っても、長い髪のかげになって、はっきりと顔を見ることができない。

それに、いつも育がよそ見をした数秒の間に、いなくなってしまうのだ。

（まあいいか。別に話しかけたいわけじゃない。会えるだけで身長が縮むんだもん）

こうして育は、ワンピースの女に会いつづけた。

二週間たつころには、学校中で育のことがウワサになっていた。

雛子たちと三人でろうかを歩いていると、みんなの話が聞こえてくる。

「大山さんって、背の高さ、あれくらいだったっけ？」

「すごく大きかった気がするけど」

「縮んだんじゃない？」

「バカ、背が急に縮むわけないだろ」

「でもこうしてみると、大山ってけっこうかわいいかもな」

その言葉を耳にした育は、ひそかに微笑んだ。

（……ふふ。かわいい、だって）

いまではもう、雛子たちとならんでも、ひとりだけ頭が飛びだしたりしない。みんなのつむじばかり見ることもない。

（服はどれもサイズが合わなくなっちゃったけど、かわりに新しい服、買ってもらえたもんねっ）

育は前のように猫背になることなく、胸をはってろうかを歩いた。

放課後になり、ランドセルを背負って昇降口にむかう。

（前よりもランドセルが大きくて重く感じるな）

育は肩ベルトをにぎって、背中をもぞもぞさせた。そろそろベルトの長さを変えたほうがよさそうだった。

（それより、下駄箱が高すぎ……）

育の下駄箱は、身長百七十センチだったころのまま、一番上の段にあった。

「うう……よいしょ、っと」

つまさき立ちになって手をのばす。

すると、うしろから誰かの長い手がひょいとのびて、育の靴をとってくれた。

育がおどろいて振りかえると、和真が立っていた。

和真は、育に靴を手渡す。

「大山さん、大丈夫？」

（高田くん!!）

育の顔が赤くなる。

「あ……ありがとう、高田くん……」

育は和真を見あげた。

(前は目線の高さが同じくらいだったのに、いまはこんなにちがうなんて)

和真がやさしく笑いかける。

「そこだと手がとどかなくて大変じゃない？」

「うん、ちょっと大変」

「下駄箱、下のほうにしてもらったら？」

「あ、うん………」

(なに、この新鮮な会話。泣きそう)

感動のあまり、育は胸に手をあてて目を閉じた。

育の大げさなリアクションを見た和真が、楽しそうに笑う。

「ははっ。なんかかわいい」

そして、育の頭の上にぽんぽんと手のひらをおいた。

(わ────！)

育は真っ赤な顔をして、手に持っていた靴を思わずドサッと落とした。

(頭ぽんぽんされた………頭ぽんぽん………)

そのあと、和真にふれられた場所を手で押さえ、口をパクパクさせる。

(もう………もう、死んでもいい!! 幸せすぎる!!)

挙動不審な育を見て、和真がまた笑った。

「大山さん、おもしろいね」

「………そ、そんなことないよ」

ちょうどそのとき、昇降口にやってきた女子ふたりが、育をちらりと見てヒソヒソ話しだした。

「大山さん、あんなに背が低くなって、ちょっとおかしいよね」

「なんか変な薬、飲んでるとか?」

女子たちの会話は、和真には聞こえなかったようだが、育にははっきりと聞こえた。

(私、悪口言われてる………)

育の手のひらが汗ばむ。

「大山さん、どうしたの?」

和真の心配そうな声に、育ははっと我にかえった。

「な、なんでもないよ。それじゃ高田くん、また明日………」

「うん。またね」

育は手を振ると、足早に立ちさった。


「もうそろそろ小さくなるのはやめよう………うん、そうしよう………いま、百四十八センチ………これだけ小さかったら、もう十分だもんね………」

バスターミナルにむかう間、育はぶつぶつとくりかえした。

これ以上縮まないために、あのワンピース女に会ってはいけない。

(早く家に帰りたい)

バス停にならんでいると、誰かに呼ばれたような気がして、うしろを振りむく。

すると、人混みのなかに、あの女がこちらに体をむけて立っていた。

(しまった。会っちゃった………)

女はまるでひょろりとした木のように動かず、じっと立っている。

うつむきかげんの顔は、長い髪にかくれて、口もとしか見えない。

育は逃げるようにくるっと体のむきを変え、ランドセルの肩ベルトを強くにぎりしめた。

（もう、ぜったいに会わないようにしないと!!）

到着したバスにあわててのりこみ、おそるおそる窓の外を見る。

そのときにはもう、女の姿は消えていた。

（いなくなってる。よかった………）


つぎの日の朝も、育の身長はまた少し縮んだようだった。

育は鏡の前で自分に言いきかせる。

「大丈夫。もう会わなければいいんだから」

朝食を食べて登校の準備をし、玄関にむかう。

「いってきます」

台所から聞こえる母親の「いってらっしゃい」という声に送られ、育は玄関のドアを開けた。

その瞬間、育は凍りついた。

(なんで………？)

路地のむこうの電柱のわきに、ワンピースの女が立っている。

女は、両手を体の前で重ね、うつむきかげんでこちらをむいていた。

まるで木のように動かない。

(なんで家の前にいるの!?)

育はあわてて玄関に飛びこみ、ドアを閉めた。

母親がおどろいて、台所から顔をだした。

「あら、どうしたの」

「………えっと………急におなかが痛くなった。学校、休む」

「あらほんと？　さっきまで元気そうだったのに」

「休むから、学校に言っといて！」

育はそう叫ぶと、階段をかけあがって自分の部屋に閉じこもった。

窓からそっと外を見る。

ワンピースの女は、さっきと同じ場所にまだ立っていた。

「あの人、なんであんなに大きくなってるの……」

電柱の真横にいるから、大きさがよくわかる。きっと二メートルをゆうに超えているはずだ。

育はとっさに窓からはなれ、机に両手をついて考えこんだ。

「どうしよう。これじゃ外にでられないじゃん……」


ミシ……ミシッ……。


どこからか、かたいものがきしむような音が聞こえてきた。

(なんの音？)

いやな予感がして窓のほうを見る。

すると、窓の下から黒い毛におおわれたボールのようなものが現れ、それはだんだんと上にのぼってきた。

（………なに、あれ）

よく見ると、黒い毛は人間の髪だ。あれはボールではない。

（人の………頭!?）

人の頭は、少しずつ、少しずつ上にせりあがってくる。

（あの女の人だ！　まだ大きくなってるんだ………）

育は震えながらあとずさった。足がもつれてよろけ、壁にぶつかる。


ミシッ………ミシ………ミシ………。


育は耳をすました。

「この音………私のなかから、聞こえてくる」

育はまたバランスをくずし、腕をのばして机につかまろうとした。しかし、さっきまですぐ近くにあった机に手がとどかない。

「………!?」

とっさに上を見あげる。

「天井が高くなって……ううん、ちがう……」

天井が高くなったわけでも、机が遠くなったわけでもない。

「私が縮んでる!?」

育の体は、じょじょに小さくなっていった。

ミシミシという音は、骨が少しずつ縮んでいく音だ。

「いや……やだよ……」

みるみるうちに、育の腕は、着ていたセーターのそでよりも短くなった。

体も脚も縮み、まるで大人用のセーターをすっぽり着せられた子どものようだ。

「逃げなきゃ！」

育は部屋から飛びだして、階段をぎこちなくおりていった。身長が縮み、脚が短くなってしまったせいで、一気にかけおりることもできない。

母親が、玄関から外にかけだしていく育を見かけ、ふしぎそうに首をひねった。

「いまの子誰？　子どもがどうして家に？」

もう母親にも誰なのかわからないくらい、育の姿は変わってしまったのだった。

育は、岬の灯台にむかっていた。

「逃げなきゃ。アレが来ないところへ!!」

アレはどんどん大きくなっている。高い場所に逃げないと、つかまってしまう。

白い灯台は、岬のはしにぽつんと立っていた。

入口の重いドアを必死に開けて、らせん階段を一歩一歩のぼる。

「ここまで来れば、アレはとどかないはず……」

踊り場までのぼりきると、育は肩で呼吸をしながら座りこんだ。

冷たい海風が吹いてきて、ぶるっと身震いする。

「これからどうしよう。こんな姿じゃ、家に帰っても気づいてもらえない」

育の目にじわりと涙が浮かんだ。

「誰か、助けて――」

育は抱えたひざにひたいをくっつけ、小さくなって座りつづけた。

ふと気づくと、あたりが暗くなっている。

「もう夜？」

家を飛びだしてきたのは朝で、そんなに時間はたっていない。

「私、どのくらいぼーっとしてたんだろう…………」

育はあわてて立ちあがった。

背のびをして踊り場の手すりから顔をのぞかせ、外を見る。

灯台の外側は、一面が真っ黒だった。

「え？　これ…………」

よく見ると、上空から無数の黒い糸のようなものがたれ、灯台をまるごとおおっている。

「夜空じゃ…………ない」

手をのばして、黒い糸のようなものをさわってみた。

「…………これ…………髪の毛…………」

育はゆっくりと顔をあげていった。

すると、青黒い巨大な顔が、育を真上からのぞきこんでいた。

「あ……あ……」

それは、女の巨人だった。

髪が長く、小花柄のワンピースを着た巨人。

女は灯台を両腕でだくようにして、唇に笑みを浮かべた。

育は腰を抜かして、その場にしゃがみこんだ。

「いやだ……た……た……」

いままで一度も見えなかった女の瞳が見えた。

ゆで卵のようにつるんと真っ白で、黒目がない。

「ああ……た……」

そのとき、らせん階段のあたりから、男の人の声が聞こえてきた。

「こらっ、誰だ！　勝手に入りこんだやつは!!」

灯台の管理人だ。

「た、助けて――っ!!」

育は力いっぱい叫んだ。

管理人の足音と懐中電灯の明かりが、こちらへ近づいてくる。

(よかった！　助かった！)

ところが、近くまで来た管理人は育を無視して立ちどまり、あちこちに懐中電灯をむけはじめた。

「あれ？　おかしいな。声がしたのに」


ミシ…………ミシッ…………。


育の体のなかから、骨の縮む音がする。

腕が縮み、脚が縮み、体が縮んでいくのに、育の頭だけは同じ大きさのままだった。

(おじさんっ！)

育の体は、すっかり縮んで見えなくなってしまった。

コンクリートの床の上には、もう育の頭しか残っていない。

口からはよだれがたれ、目の焦点が合わなくなってきた。

「誰もいないのか」

管理人はころがる育の頭に気づかず、通りすぎていってしまった。

(待って……行かないで………助けて………)

やがて、育の頭も、首のつけねからだんだん縮みはじめた。

あごが縮み、口のまわりが縮み、頬と鼻と耳が縮んで消えていく。

目も消えはじめ、なにも見えなくなる瞬間、育は心のなかで叫んだ。

私の身長、とらないで――………。

エピローグ

百十六時間目の授業はいかがでしたか？

あのふしぎな女性は、いったい何者だったのでしょうね。

もしかしたら、望むものを与えてくれる、神様だったのかもしれません。

なにしろ、少女の「小さくなりたい」という希望をかなえたのですから。

みなさんも、ふしぎな女性に出会ったら、お願いを口にしてみてはいかが？

ただし、お願いの内容には注意してくださいね。

神様は、あなたが「もう十分」と思っても、望むものを与えつづけてくれるかもしれませんから。

あの少女に与えつづけたように。

えっ？　私にはコンプレックスがないのかって？

もちろん、ないにきまっているじゃないですか！
私はこの体、大好きなんです。
半分消えているけれど、満足しています。

絶叫学級

117時間目
笑いの面

プロローグ

こんにちは。

みなさん、席(せき)についてください。

百十七時間目(ひゃくじゅうななじかんめ)の授業(じゅぎょう)をはじめます。

さて、みなさんは、笑(わら)った自分(じぶん)の顔(かお)は好(す)きですか？

笑(わら)い顔(がお)といっても、さまざまです。

大笑(おおわら)いの顔(かお)、やさしく微笑(ほほえ)む顔(かお)、苦笑(にがわら)い、作(つく)り笑(わら)い、ひきつった笑(わら)い。

今回(こんかい)の主人公(しゅじんこう)は、笑顔(えがお)にコンプレックスがある少女(しょうじょ)。

笑った顔を見られたくなくて、何年も仏頂面ですごしています。
友だちもあまりいないみたい。
そんな少女が手に入れたのは、笑顔になれるアイテム。
まさに魔法の道具です。
魔法のアイテムは少女を幸せにしてくれたでしょうか？
知りたい人は、ページをめくってみてください。

一年A組の教室は、今日も笑いにあふれていた。

「見た？　昨日のM－1。まじ爆笑だったんだけど！」

「見た見たーっ！」

「きゃははは！」

「佐藤の変顔やばいって」

「うける～」

「ちょっ……いまセーターが静電気でバチッって！」

「バチッてなった！　あははは！」

そんななか、山本千笑は席に座り、静かに文庫本を読んでいた。

前髪は、顔をかくすために長めにしてある。あまり人に顔を見られたくないのだ。

「ねえ見て。山本さん、また本読んでる」

少しはなれた席にいる、かりんたちの会話が聞こえた。

「暗〜い」

「私、あの子の笑ったところ、見たことないし」

「私もー」

千笑は文庫本をみつめたまま、聞こえないふりをした。

(しょうがないじゃん。名前は「千の笑」って書くけど、はっきり言って、笑顔は苦手なんだから)


こんな千笑も、以前はふつうに笑う子どもだった。

あれは小学校二年生のころだ。

クラスメイト数人でギャグまんがを読んでいた。

「あはははは。おもしろいねー」

千笑が大笑いすると、ひとりの男子が言った。

「山本の笑い顔ってキモくね？」

「え……………？」

千笑が笑い顔のままかたまっていると、女子たちが言う。

「えー？」

「そんなことないよ」

「ふつうだよ？」

すると、男子が答えた。

「だってさ、ニタニタしてて変じゃん」

千笑は、ショックとはずかしさで、真っ赤になってうつむいた。

「ちょっとー、やめなよー」

「変じゃないよ、千笑ちゃん」

ところが、その場ではかばってくれた女子たちが、かげではこう言っていたのだ。

「…………ちょっとウケるね」

「たしかに、千笑ちゃんの笑顔ってさ、変だよね」

「わかるー。変だよね！　あははは！」

千笑はそれを聞いてしまい、人に笑顔を見せるのがこわくなったのだ。

(笑顔がキモいなんて言われるくらいなら、一生笑わないよ)

千笑は無表情のまま、席で文庫本を読みつづけた。

かりんたちはまだ千笑のことを話している。

「あの子、あんまりしゃべらないよね」

「そうそう、おとなしいっていうか」

「無表情だし、銅像みたいじゃない？」

「あははは！」

すると、ひときわ明るい声が、かりんたちの会話に割りこんだ。

「そうかな。おちついてて、大人って感じじゃない？」

クラスで一番人気のある女子、佐渡明だった。

「え……明……」

かりんが戸惑う。千笑もおどろいて、本から顔をあげた。

「そういうの大人っぽくて、私はあこがれるけどな」

明はゆるくまとめたポニーテールをゆらし、かりんに微笑みかけた。

(佐渡明さん。美人で友だちがたくさんいて、笑顔がすてきな人。これを人気者と言わずしてなんと言うのか)

千笑は、前髪の隙間からちらりと明をぬすみ見て、また本に視線を落とした。

(きっとただの気まぐれ。佐渡さんとは席がとなりだけど、ほとんど話したことないし、よく知らないし………)


ところが、その日から明がよく話しかけてくるようになった。千笑が休み時間に本を読んでいると、

「ねえ、なに読んでるの？　前のとちがうね」

そう言って、明がとなりからのぞきこんでくる。

「えっと………『罪と罰』」

「すごい。むずかしそ〜」

「そんなことない。長い話だけど」

「長いのは無理だなあ。ねえ、私でも読めそうな本ってないの？　教えてっ！」

明はいつも、ぱっと花が咲いたように笑う。

（笑顔、まぶしい………）

明が笑うと、千笑は目がくらみそうになってしまうのだった。


千笑は家でも笑わなかった。

祖母と両親、千笑の四人家族だが、千笑だけはいつも無表情だ。

「ただいまー」

その日、帰宅すると、仏間から祖母が顔をのぞかせた。

「おかえり、千笑」

「あ、ばーちゃん」

「また学校でいやなことあったの？」

祖母は心配そうだった。小学生のころ、千笑が笑顔をからかわれたことを、いまでも覚えているのだ。

「あ…………いや…………」

「そう？　だって浮かない顔してるんだもの」

「別に。いつもこの顔だから大丈夫」

すると、祖母が手招きをした。

「ちょっと、ばーちゃんの部屋においで」

「…………いいけど、なに？」

千笑は祖母に招かれるまま、仏間に入っていった。仏間はストーブがたかれ、ぽかぽかと暖かかった。

祖母は棚から木箱をとりだし、ちゃぶ台の上にコトリとおく。

(なんだろう？)

箱を開けると、なかにはおかめの面が入っていた。

「これ、千笑にあげる」

祖母が木箱から面をとりだして、千笑に渡す。

「………え？　は？」

おかめの面は真っ白くて輪郭は下ぶくれ。頬はまるく紅色に染められている。目じりをさげ、紅色の唇のはしをあげてニッタリと笑っていた。

「なにこれ、ばーちゃん。もしやこれで顔をかくせと？」

面にはひもがついていて、顔にくっつけて固定できるようになっていた。

「ちがうよ。それは『笑い面』と言ってね、この前、旅先の骨董屋さんで見つけたものなの」

祖母は面をながめると、おかめの笑顔につられるように、ふふふと笑った。

「かぶると楽しくて、笑顔になっちゃうんですって」

「はあ………」

千笑はあきれて無言になった。

祖母は旅行のたびに奇妙なおみやげを買ってきて、千笑にプレゼントするのだ。

（こんなもの、いったいどうしろと？）

「ほかにも『泣き面』や、それからもう売りきれてたけど、『怒り面』なんていうのもあったのよ。だけど、千笑にはこれがぴったりよ」

いろいろな面のならぶ骨董屋を思いだしたのか、祖母はまたふふふと笑った。

「あ、ありがとう」

千笑は立ちあがり、面を持って部屋をでた。

（ばーちゃん、またつかまされたんだな。いままでのおみやげのなかでも、これは最高にわけがわからない…………）

それでもせっかくもらったものだから、千笑は面を木箱に入れ、部屋のクローゼットのなかにしまった。

つぎの日、千笑は登校すると、その足でカバンを持ったままトイレに行った。

ドアを開けると、鏡の前でクラスの女子三人がはしゃいでいる。

「寝ぐせやばーい」

「そんなの、家でる前になおしてきなって」

「だって時間なかったんだもん」

「リップ忘れてきた〜」

「マジで？　貸そっか？」

そのなかのひとりが振りかえって、千笑をにらんだ。かりんだ。

千笑は前髪でサッと顔をかくし、そそくさと個室に入った。

（やだな。早くでてってくれないかな………）

便器のふたを閉じてその上に座り、カバンをきつくだきかかえる。

すると、洗面台のあたりから、かりんの声がした。

「いまトイレに勘ちがい女、入ってかなかった？」

かりんは、わざと千笑に聞こえるように言っているのだ。

「どうしたの、かりん」

「だからー。明に少しやさしくされて、勘ちがいしてる女」

（………勘ちがいなんて、してないし）

ドアの外では、ほかの女子ふたりが「ああ」「あの子か」と答えた。

かりんの声は、ますます大きくなった。

「あんな仏頂面と友だちになれるわけないじゃん」

(勘ちがいしてないし。そんなこと思ってないし)

千笑はうつむいた。

すると、ファスナーの開いたカバンのなかに、なにか白いものが見える。

「え……………」

おかめの面だった。

千笑はおどろき、ニッタリと笑う面を、おそるおそるカバンからとりだした。

(なんで？　家においといたはずなのに…………)

ドアの外にいるかりんは、しつこくイヤミを言っている。

「いっそ、顔かくして登校したらいいんじゃなーい？」

(…………私の顔、そんなに、ダメ？)

ふいに、小学生のころ、あの男子に言われたひと言を思いだした。

——山本の笑い顔ってキモくね？

千笑の呼吸が浅くなる。

思わず手に持っていた面を顔につけ、かくれるようにうずくまった。

すると――。


「ふ」


千笑の唇から、笑い声のような息がもれた。

つぎの瞬間、爆発するように、大笑いがあふれだした。

「あはーっははははははっ！」

洗面台の前にいたかりんたちが、おどろいてビクッと体を震わせる。

「あはは…………はははははははは！」

面をつけた千笑は、笑いがとまらない。

（なにこれ、なにこれ、おっかし――!!）

「あは…………はははははっ…………はははははは!!」

いまの千笑には、なにもかもがおかしかった。

(タイルが四角いの、うける！　便器もなんでこんなおもしろいの〜〜〜〜！　もう自分の笑い声に笑っちゃうよー!!)

「あっははははははははははははははははっ…………!!」

千笑は両腕でおなかを抱え、天井をあおいで笑った。笑いすぎて涙がでてくる。

あまりの笑い声に、かりんはおそろしくなってあとずさる。

「なにこいつ…………」

「壊れた？」

「コワ。もう行こうよ」

かりんたちは、逃げるようにトイレからでていった。

「ははは……………はぁ……………はぁ…………」

面をとると、笑いはじょじょにおさまっていく。

「な、なんなの、この面…………」

千笑は指で涙をぬぐいながら、はずしたおかめの面をみつめた。

ふだん笑わないせいか、その日の下校のころになると、千笑の顔がこわばってきた。

(顔の筋肉、痛い………)

歩道を歩きながら、両手で頬を押さえる。

(本当に、なにあの面。えええ?)

知らないうちにカバンのなかに入っていた上に、かぶると笑顔になるなんて。

(笑顔になる『笑い面』か………。ばーちゃんの言ってたこと、本当だった)

千笑の頭に、ふとおそろしい考えがよぎり、足をとめる。

「じゃあ、『怒り面』をつけたら、めっちゃ怒るってこと?」

『笑い面』がこれだけ効果があるのだから、『泣き面』をつけたら泣きっぱなし、『怒り面』をつけたら怒ってばかりになるのかもしれない。

そう考えると、少しこわい。

(でも、あんなに笑ったの、いつぶりだろう)

千笑はまた歩きだす。

すると、うしろから誰かに呼びとめられた。

「山本さん、いま帰り？　いっしょに帰らない？」

振りむくと、明が笑っていた。リボン結びにしたベビーピンクのマフラーがよく似合っている。

明のそばには、クラスメイトが数人いた。なかにはかりんもいて、千笑のことをギッとにらんでいた。

(……………うわ。気まずい。ことわりたい)

そう思ったものの、気弱な千笑はことわれない。

明のとなりに立っていた成瀬玲央が「えー！」と口をとがらせた。

「俺、明とふたりで帰りたかったのにー」

「バカ、成瀬。うちらもいるんだけど」

「そうだよー。明と帰りたいのは、あんただけじゃないの」

みんな、人気者の明と帰りたいのだ。

明はみんなのほうをむくと、天使のような笑顔で言った。

「もー。みんなで帰ったほうが楽しいでしょ」

みんなが明に見とれてうっとりする。そのくらい、明の笑顔は輝いていた。

「やっぱ明の笑顔にはかなわねーな」

「うんうん」

「みんなで帰るかー」

玲央とかりんが、降参して歩きだした。

（すごい。佐渡さんが微笑んだだけで、みんなが言うことを聞いた）

千笑がびっくりしていると、明は千笑のとなりにやってきた。

ふたりはならんで歩きはじめる。

（気まずい。なにか話すべき？　沈黙が痛い………）

千笑のひたいや手のひらに、冷や汗が浮かんできた。

肩からかけたカバンを体にひき寄せ、緊張して歩いていると、明のほうから話しかけてきた。

「私、山本さんとずっと話したかったんだ」

「……えっ？」

おどろきのあまり、千笑は思わず聞きかえした。

「私と？」

「うん。山本さんて、仏頂面ってよく言われてるけど」

「あ……う、うん……」

千笑は頬をひきつらせた。

（おっしゃるとおりです……）

明はキラキラ光る大きな瞳で、千笑をみつめてくる。

「それって、誰にもこびてないってことでしょ？」

千笑は目をまるくした。そんなふうによくとらえてもらったのなんて、初めてだったのだ。

「……そう、かな」

「そうだよ。それがうらやましくて」

急に明の表情がかげる。

「私、流されて笑うことばっかりだから」

千笑には、明がとてもさびしそうに見えた。

そのとき、前を歩いていた玲央が大声をあげた。

「明ーっ。こっち来いよー。かりんがさびしいってよー」

「あはは。なにそれー」

と、明がまゆ尻をさげながら笑った。

(人気者の佐渡さんが、あんなこと思ってたなんて………)

千笑は、玲央たちに手を振る明を、まぶしそうにみつめた。

すると、明が小さな声でこっそり言った。

「明日もいっしょに帰ろうよ」

(えっ!?)

「できれば友だちになってね!」

そして、「おまたせー」とかりんたちのもとへ走っていく。

(佐渡さんと友だち？　私なんかが………)

千笑は返事もできずに、その場に立ちすくんだ。


つぎの日から、千笑は明のグループにいることが多くなった。

「ねーねー、明。昨日のケンヤチャンネル見た？」

「見たよ！　おもしろかったね」

「俺もめちゃくちゃ笑った」

「あの、ストローのやつとか。ははっ、思いだしても笑える！」

みんなが笑うなか、千笑は笑えない顔を前髪でかくしていた。

（……私なんかが友だちでいいのか？）

ネガティブな考えを吹きとばすように、千笑はぶんぶんと頭を振る。

（あああ!!　こんなの、佐渡さんに申し訳なさすぎる!!）

ふと自分の机を見ると、おいておいたカバンのファスナーが開いていた。

そのなかに見える紅色の唇――あの面だ。

（うそ!?　また入ってる。もしかして、ばーちゃんが入れたとか？　そんなわけない

か）

あの面をつけると、千笑でも笑うことができる。

（そうか。もしも私がうまく笑えれば……）

千笑は心をきめた。

つぎの日の朝。

（今日の目標は笑顔……笑顔で話す……）

千笑は心のなかでそうくりかえしながら、教室に入っていく。

すると、明の席の近くにかりんたちが集まって、玲央の話をしていた。

「成瀬、休みだってー」

「昨日、歩道橋から落ちたらしいよ」

「なにしてんの、あいつ～」

千笑はみんなの輪に近づいていき、必死に笑顔を作った。

「ははは……」

顔がひきつり、不自然な笑い声がでてしまう。
それを見たかりんが、キッとにらむ。
「………なに笑ってんの、山本さん」
「そうだよ。成瀬がケガしたっていうのに」
千笑はあわてて指で前髪を動かし、顔をかくした。
(ダ、ダメか？　こんな笑顔じゃ)
笑顔の練習をするために、昨日はひと晩じゅう、あの面をつけていたのに。
(顔が痛い………)
千笑の頬や口もとは、筋肉痛で動かすたびに激痛が走った。
そっと前髪の隙間からのぞくと、明が戸惑ったような表情でこちらをみつめている。
(あきれられちゃったかな)
やがて明は視線をそらし、みんなとおしゃべりをはじめた。
千笑はようやくほっとして、自分の席につく。
(………それでも、佐渡さんがああ言ってくれたから、がんばりたい。たとえキモいと

言われようとも）

家に帰ると、部屋に閉じこもって面をつける。

すると、とたんになにもかもがおもしろくなってきて、腹の底から笑いがこみあげた。

「あはははっはっ……あはははは！」

部屋のドアをノックされたが、それさえもおもしろい。

「千笑ー、入るわよー」

「あーっはははははは！」

ドアが開き、母親が心配そうにのぞく。

「あんたどうしたの、そんな面かぶって笑って」

「え？　だっておもしろくて……はは……あはははっはっ！」

千笑の声が、面のなかでくぐもってゆがむ。

母親はやれやれと首を振って、ドアを閉めた。


夜の特訓のおかげか、つぎの日は、笑い顔でみんなにあいさつすることができた。

「おはよ」

「あ、おは………」

振りむいたかりんが、言葉をのみこむ。

千笑の笑顔はとても不自然だった。

口角をむりやりひきあげているせいで、口もとにシワが寄っている。

目じりはさがっているが、笑っているというよりは、ただ目を閉じているように見える。

(大丈夫。ちゃんと笑えてるはず………)

その日の夜は、布団のなかでも面をつけていた。

「ひゃーっはははは！　ひゃはははは！」

(ダメだ。おもしろすぎて眠れない。眠れない自分がおもしろい………)

「ひゃっはっはっは！」

結局千笑は、しっかり睡眠がとれずに登校した。

不自然な笑みを浮かべ、おしゃべりしているかりんたちの輪に入っていく。

「私もその番組見た。おもしろかったよね」

千笑がそう言うと、みんなのおしゃべりがとまった。

「山本さん、なんか顔色悪くない？」

「そ、そうかな。あははは」

チャイムが鳴り、千笑が席につくと、ひそひそ声が聞こえてきた。

「山本さんって、ああいう子だったっけ」

「なんか明るくなった？」

(やった。明るくなったって言われた)

ひきつった笑い顔のまま、千笑はそう思った。


笑い顔の特訓はつづいた。

家に帰ると部屋にひきこもり、おかめの面をつける。夜は食事とお風呂以外の時間は、ほとんど面をつけてすごした。

それからしばらくたったある日の、体育の時間だった。

明とふたりで校庭にむかっていた千笑は、いつもの不自然な笑い顔で言った。

「昨日の『お笑い7』見た？　私、すごく笑っちゃって」

「……………最近どうしたの？」

体操着を着た明が、さびしそうに微笑む。

「えっ、へ、変かな？」

千笑はためらいながら答えた。

「佐渡さんの笑顔にあこがれててさ、真似しちゃった」

（だって、佐渡さんにつりあう友だちになりたくて…………）

すると、明は目をふせ、ぴたりと立ちどまった。つられて千笑も足をとめる。

「私、前の山本さんのほうがよかったな」

「え………？」

千笑の顔から、一瞬にして笑いが消えた。

明がだまって歩きだす。でも、千笑は立ちどまったまま動けなかった。

（なんで？　やっぱりダメなの？）

体育の授業の間、千笑は以前と同じように、仏頂面ですごした。

授業が終わり教室に戻っても、無表情のままで席についていた。クラスメイトのおしゃべりが聞こえてくる。

「あれ？　あいりたちは？」

「なんか足ひねっちゃったって、保健室に行ったよ」

「え〜。最近みんな、ケガしすぎ。ま、明がいるからいいけど〜」

授業であいりがころぶのを千笑も見ていたが、いまはそれどころではない。

（なにがダメだったの？　やっぱりうまく笑えてなかった？　やっぱり私の笑顔はキモいのかな……早く帰りたい――）

ホームルームが終わると、千笑はカバンをつかんで教室を飛びだした。

（早く帰って、笑い顔の練習しなくちゃ）

急ぎ足でろうかを歩いていると、突然、うしろから誰かにつきとばされた。

千笑はバタンと前のめりに倒れ、そのいきおいでカバンが放りだされる。

「ざんねーん。明にきらわれちゃった？」

見あげると、かりんが両手を腰にあてて立っていた。

「明はやさしいから、あんたにかまってただーけ」

かりんは、勝ちほこったように目を輝かせる。

「じゃなきゃ、あんたみたいに笑顔がやばいやつ、友だちになるかよ!!」

(笑顔がやばいやつ……………)

千笑の心に、明の天使のような笑顔が浮かんだ。

キラキラ輝くような笑顔。

みんなを幸せにする微笑み。

(私だって……佐渡さんみたいな笑顔ができれば、きっと……………)

千笑はろうかに落ちたカバンをひき寄せ、ファスナーを開けた。

なかに入っていたのは、目じりをさげ、紅色の唇のはしをあげてニッタリと笑う、おかめの面。

それを手にとり、顔につける。

そしてゆっくりと立ちあがった。

「な……なにそれ」

かりんが体をこわばらせ、あとずさる。

「ふ」

面をつけた千笑の口から、笑い声があふれた。一度笑いだすと、もうとまらない。

「ふふふふふふふふ――」

両腕をだらりと前にたらし、前かがみになって歩きだす。

「なにこいつ」

かりんが恐怖に目を見開いた。

「あ、明っ！」

明の名前を呼びながらバタバタと走って逃げていくかりんを、千笑は追いかけた。

「これならいいでしょ？　私、うまく笑えてるでしょ？」

ろうかをまっすぐにすすみ、つきあたりをまがる。

とそのとき、階段の上から悲鳴があがった。

「ギャアッ!!」

千笑は階段の踊り場を見あげた。

誰かが窓の外を見つめて立っている。

ゆれるポニーテール。そこにいるだけで華やかな雰囲気。

明だった。

「佐渡さん…………」

踊り場に立つ明は、千笑が呼んでも振りむかない。

明の足もとを見ると、かりんが倒れていた。

かりんはうつぶせに倒れていて、踊り場の壁に血しぶきが飛んでいる。

「……え……なんで？」

面をつけたままの千笑が問いかけると、明はすんだ声で答えた。

「私、怒ってるの」

「……………怒ってる？」

「私には笑顔しか似合わないとかほざくから、こうしてやったの。成瀬も。あいりも。かりんも」

「もしかして、佐渡さんが…………」

「私だって、笑いたくないときくらい、あるのにね」

明が振りむいた。

その顔には、おそろしい形相の面がつけられていた。

「面!?」

千笑はおかめの面の下で息をのんだ。

（あれは…………佐渡さんの面は、おかめじゃない。般若…………）

鬼のようなツノ、恨みでカッと見開いた目、耳までさけた口、獣のような牙。

明の面は、般若の面だった。

その面を見た瞬間、千笑は祖母が言った言葉を思いだした。

――それからもう売りきれてたけど、『怒り面』なんていうのもあったのよ。

(まさかあれは、『怒り面』!?)

面をつけた千笑のひたいに、どっと汗が吹きだした。

明がゆっくりと階段をおりてくる。

「山本さんの前では、自然体でいられると思ってたのに」

その手には、大きなハンマーがにぎられていた。

――私、流されて笑うことばっかりだから。

明はそう言っていた。

――佐渡さんの笑顔にあこがれててさ。

千笑はそう言った。

（なんだ。最初からすれちがってたんだ）

階段をかけおりてきた明が、ハンマーを振りあげた。

千笑は笑いだした。

「…………ははは」

おかめの面の細い目から、涙が流れおちる。

「あ…………はははははは……………はは…………」

つぎの瞬間、千笑の視界は真っ暗になった。

エピローグ

百十七時間目の授業はいかがでしたか？
同級生の言った言葉のせいで、笑えなくなってしまった少女。
彼女は「かぶると笑顔になる面」を手に入れて、笑えるようになりました。
一方、笑顔でいることを期待されすぎて、笑いたくなくなった少女。
彼女も別の面を手に入れていました。
もしあの奇妙な面がなかったとしたら？
ふたりは仲良しになれたでしょうか。
やっぱり悲しい結末となったでしょうか。
それにしても、かぶるだけでなりたい自分になれる面なんて、ふしぎですよね。
みなさんなら、どんな面がほしいですか？

もしかしたら、近所に売っているかもしれませんよ。
でも、気をつけてください。
面のせいで、友情が壊れてしまうこともあるようですから。
あの少女たちみたいにね。

絶叫学級

ぜっきょうがっきゅう

118
時間目(じかんめ)
かくれんぼ鬼(おに)

プロローグ

こんにちは。
チャイムはもう鳴りましたよ。
それでは、百十八時間目の授業をはじめましょう。
昔ながらの遊びに、鬼ごっこやカン蹴り、かくれんぼなどがありますよね。
みなさんも遊んだことがあるのでは？
今回は、かくれんぼにまつわるお話です。

鬼になった子が、かくれている子をみつける、シンプルなゲーム。

それが、かくれんぼ。

鬼は「いーち、にーい、さーん……」と数を数え、十まで数えおわったら、「もういいかい」とみんなに聞いて、かくれている子をさがしはじめます。

上手にかくれないと、すぐに鬼にみつかってしまうから、スリル満点。

最後までみつからなかった子が、そのゲームの勝者です。

でももし、そのまま誰にもみつけてもらえなかったら？

さがしにきた鬼が、見知らぬ子だったら？

ふふ……こわいですね。

今回のお話の子どもたちは、ちゃんと家に帰れたのでしょうか？

「もういいかーい」

林のなかに、鬼になった子の声がひびきわたった。

「まーだだよっ」

そう叫び、かくれる場所をさがして走りまわる。

「もぉいいかぁーい」

「まーだだよ…………」

(みつからないように、かくれなくちゃ)


――き………。

誰かに名前を呼ばれたような気がして、振りかえった。

――咲っ。


「はっ！」

今村咲は、ぱっちりとまぶたを開いた。

ここは一年A組の教室。

放課後、咲は机に頬づえをついたまま、うとうと居眠りをしていたのだった。

もうすぐ夕方だが、窓から差しこむ初夏の日差しはまぶしい。

(夢…………？)

「咲～。よだれたらして、なに寝てんの」

見あげると、眼鏡っ子の芽衣子が、帰り支度をして立っていた。

「ふえっ！　よ、よだれ!?」

あわてて手で口をふくと、髪をふたつに結んだまりえが、咲の頭をつっつく。

「冗談だよ。よだれなんてでてないって。帰ろーぜい」

「う、うん」

咲の頭はまだぼうっとしていた。

（なつかしいな。ちっちゃいころの夢見てた）

咲はいま、中学一年生だから、かくれんぼをしていたのは、もう五年も六年も前だ。

（あれは団地の庭で遊んでたころの夢だったなあ………）

もういいかい、という夢のなかで聞こえていた声が、まだ耳に残っている。

咲が芽衣子たちといっしょに教室をでると、同じクラスの女子数人が、ろうかを歩いていた。

「ねえ、今日うちで遊ばない？」

女子たちの中心にいる明日美が言った。

ふわりとした長い髪に、花のモチーフの髪飾りをつけている子だ。気どっている明日美のことが、咲はちょっと苦手だった。

「新築だからきれいだよ〜。誰かさんの家とちがって」

明日美がわざと聞こえるようにそう言って、咲をちらりと見る。

まりえがキッとにらみかえした。

「なにあれ、明日美のやつ。気にすんな、咲」

芽衣子もまゆをつりあげる。

「そうだそうだ。自慢したいだけなんだから」

「大丈夫だよー。気にしてない…………」

そう言ったものの、咲もギリギリと奥歯をかんだ。

(もーっ！　私の家がおんぼろ団地だって言いたいんでしょーっ！)

咲の家は、古い団地の一室。

建てられたのは咲が生まれる何十年も前で、古すぎてエレベーターもなかった。壁はシミだらけだし、ベランダの手すりはさびている。

団地まで帰ってきた咲は、古びた建物を見あげて、ため息をついた。

「はぁ…………」

(ちっちゃいころはぜんぜん気にしてなかったけどさ、やっぱはずかしいよ。これじゃ友

だちも呼べないし)

うす暗い建物の入り口に入っていくと、大声で名前を呼ばれた。

「咲!! 学校終わったのか?」

振りかえると、弟の樹がバタバタといきおいよく走ってくる。そのうしろに、近所に住む男の子三人をひきつれていた。

(姉にむかって呼びすてか!)

咲はむっとして、口をへの字にゆがめる。

「樹。『咲』じゃないでしょ。お姉ちゃんでしょ?」

小学校三年生の樹は、咲の文句なんておかまいなしだ。

「これからみんなでかくれんぼやるんだ」

「かくれんぼ!? またやってんの?」

「咲も入れよ! どーせヒマだろ」

「なんで私が――――」

「みんな、かくれろー!」

男の子たちは口々に「かくれろーっ！」と叫んでかけだしていく。

「もーなんなのよ。私そんなにヒマじゃないんですからねっ………」

そう言いながらも、咲はつきあってあげることにした。

男の子たちはかくれる場所をさがして、あちこち走りまわっている。

団地のまわりには、マサキの木の生垣がある。咲はそのかげにしゃがんでかくれた。

「はぁ………」

(なんでこんなことやってんだろ、私)

見あげると、うす汚れた団地の建物が目に入った。

(あーあ。もっときれいな家がよかったなぁ………)

横をむくと、のび放題のマサキの木が、わさっと顔にあたった。

(痛っ。あーあ。お庭もオシャレにガーデニングしてあるような、すてきなとこに住みたかったなぁ………)

咲はひざをかかえて、くやしそうに唇をかむ。

(まちがっても、悪口なんか言われないようなとこがよかった)

ガタッと音がして前を見る。

すると、ゴミ置き場におかれている大きな青いポリバケツのうしろに、樹がかくれているのが見えた。

咲と一瞬目が合うと、樹は笑いかけてきた。

ここそこそと体を縮めているが、頭がかくしきれていない。

(あいつ、ヘタクソ。あれじゃみつかっちゃうじゃん)

鬼が数を数える声があたりにひびいた。

「いーーーち、にーーーい、さーーーん………」

(お、はじまった)

咲はきょろきょろとあたりを見まわした。

咲のいる場所からは、物かげにかくれている男の子たちの姿がよく見えた。

ひとりは生垣のすみ。ひとりは段ボール箱のうしろ。ひとりは桜の木のかげ。

(よしよし、みんなかくれてるね)

そう考えたところで、咲は首をかしげた。

「………あれ?」

（樹も入れたら四人いる？　メンバーが全員ここにいるってことは…………鬼は誰がやってるんだろう）

「もーいいかーい」

「もーいーよっ！」

男の子たちが叫ぶ。

そのとき、咲のかくれている生垣にむかって、子どもが歩いてくる足音がした。

（みつかる！）

咲はひざをかかえた体を小さくまるめ、ぎゅっと目をつむった。

子どもは、咲のすぐ近くを通りすぎていった。

足音が遠ざかり、あたりがしんとする。

（はー。セーフ………）

頭をあげて目を開けると、ちょうど団地の建物から、咲の母親がでてくるところだった。

花柄のエプロンをつけた母親は、合図をするように手をパンパンとたたく。

「はいはい、ごはんよ～。みんな家に帰りなさーい」

「お母さん」

咲が生垣のかげから立ちあがる。

かくれていた男の子たちも、次々と立ちあがって姿を見せた。

「ごはんだってさ」

「もうそんな時間かよ」

「ごはんって聞いたら、腹へってきたー」

三人は生垣の前に集まってくるが、樹だけがでてこない。

咲は、樹がかくれていた青いポリバケツのほうにむかって叫んだ。

「樹ー、帰るよー」

返事がない。

「樹……？」

樹の姿はどこにもなかった。忽然と消えてしまったのだ。

樹がいなくなったという話は、すぐにひろまった。

翌日、咲が学校に行くころには、みんながそのウワサをしていた。

「聞いた!?　咲ちゃんの弟、行方不明だって」

「聞いた、聞いた。団地の外で遊んでたら、いなくなったんでしょ？」

「誘拐かな」

「あのあたり、たまに不審者の話とか聞くしさ～」

女子たちが話をしている輪のなかに、明日美が入っていく。

「えー、あの団地!?　やっぱ古いとさぁ、セキュリティとかちゃんとしてないから」

明日美は自分の体をだくようにして、ぶるっと震えた。

「私だったら、ぜったいあんなトコ住みたくないっ！」

咲は学校に来たものの、青白い顔で席に座り、ずっとうつむいていた。

心配した芽衣子とまりえがやってくる。

「………咲、大丈夫？」

「警察がぜったいにみつけてくれるよ………」

ふたりとも、いまにも泣きだしそうな顔をしている。

「うん。ありがとね」
チャイムが鳴り、授業がはじまったが、咲は上の空だった。
(いろいろさがしたのに、どこにもいなかった………)
咲が生垣のかげからみんなを見まわしたとき、樹はたしかにゴミ置き場にいたのだ。
青いポリバケツのうしろにかくれ、咲を見て得意げにニヤッと笑っていた。
(目の前にいたのに。見えてたのに………)
あのとき、鬼の子が歩いてくる気配がして、咲は目を閉じてしまった。
つぎに目を開いたときには、もう樹はいなくなって――。
(目なんて閉じなきゃよかった!!)
咲の心は、悲しみと後悔でいっぱいになり、たまらずに机につっぷした。
帰り道も、咲は自分を責めるようにうつむいて歩いた。
公園の横を通ると、男の子たちの遊ぶ声が聞こえてきて、思わず顔をむける。
「じゃんけんぽんっ」

「あー、負けた!!」

「あっくんが鬼ね」

「かくれろー」

男の子たちは楽しそうに遊んでいた。

「かくれんぼ……」

そうつぶやいた咲は、ふと思った。

(そういえば、あのとき、誰が鬼だったんだろう)

咲が見たときは、参加メンバー四人ともが物かげにかくれていた。

それなのに、鬼が数を数える声がしていたということは——鬼になった子がもうひとりいたはずだ。

(昨日の子たちなら知ってるよね)

咲は大急ぎで団地に帰った。

樹と遊んでいた男の子たちは、団地の庭にいた。

「昨日のかくれんぼなんだけど、鬼は誰がやってたの?」

咲がたずねると、三人は顔を見あわせた。

「あのときの鬼？」

「誰だっけ？」

「あれ？　思いだせないね」

考えこむ三人を見て、咲はごくりとつばをのみこんだ。

(おかしい……なんで誰も覚えてないの？)

「アツシじゃね？」

「オレじゃねーよ。トモキだろ？」

「ちがうよー。だって俺が木のうしろにかくれたとき、目が合ったじゃん」

「そっか。じゃあ誰だ？」

三人はだまりこんでしまった。

(そもそも、誰がかくれんぼしようなんて……)

そのときふいに、咲のうしろから声がした。

「オニコ様じゃないか？」

「管理人のおじいちゃん」

団地の管理人が、やせたしわくちゃの手で竹ぼうきを持ち、立っていた。

こんな古い団地なのに、ゴミ置き場や駐車場がきちんと片づけられているのは、きれい好きな管理人のおかげだった。

「樹は、オニコ様につれていかれたのかもしれん」

管理人は、しわがれた声でそう言った。

「オニコ様？」

「そうだ。昔はなぁ、この土地の子どもが、まぁよく行方不明になるもんだから、近所のところどころに祠を建ててお祈りしたらしい」

「祠って、神様をまつるところ……ですか？」

「そうだよ」

「それ、どこにあるんですか？」

「この団地の敷地内にもあると聞いたけど、私もよく知らんのだよ。なんせ、古くからの言い伝えみたいなもんだからねえ」

「………そうですか」

管理人の話を聞いてこわくなったのか、樹の友だち三人は顔をこわばらせている。

「俺たち、もう帰るね」

「樹、早くみつかるといいね」

三人はそそくさと帰ってしまった。

半信半疑の咲も、一〇二号室の自分の家にむかって歩いていく。

(まさか………そんな祠、あるの？　見たことないけど………)

管理人はこのあたりに長く住んでいるのに、それでも知らないと言っている。

(都市伝説みたいなものなのかな)

咲がぼうっとしながらせまい居間に入っていくと、母親はローテーブルの前に座り、たばねたコピー用紙を整理していた。

よく見れば、それは樹の写真がついた捜索用のチラシの束だった。

「おかえり、咲」

「………ただいま」

咲はチラシの束をみつめ、ぽつりと言った。

「お母さん。こんな団地、住まなきゃよかったね」

うつむいて立ちつくす咲に、母親は静かにかえす。

「咲と樹が生まれ育ったこの団地、お母さんは好きだなぁ」

咲の目に涙がたまっていく。

「そんな顔しちゃダメ」

母親が立ちあがり、咲に微笑みかけた。

「樹が戻ってきたとき、笑顔でむかえてあげなきゃ」

「…………うん」

そう答えたとたんに涙があふれ、咲は手で頬をぬぐった。

「咲も似たようなことあったよね」

「え…………？」

咲はおどろいてしまった。そんな話は記憶にないし、初耳だった。

「夜になっても帰ってこなくて、つぎの日の朝に戻ってきて、なにがあったのって聞いたら『かくれんぼしてたの。私、みつからなかったのよ。すごいでしょ』って」

少しも覚えていなかった。

「あのときも、あちこちさがして。生きた心地がしなかったわ」

覚えていなかったが、心のなかにひっかかることがあった。

(かくれんぼ……)

咲は、管理人の言葉を思いだした。


——オニコ様につれていかれたのかもしれん。


(もしかして……そのときの私がかくれんぼした相手は——)

「オニコ……様……」

咲がつぶやくと、母親がきょとんとした。

「ん？　どうしたの？」

「なんでもない」

咲はそう答え、ある決心をした。


その夜、咲は真夜中にベッドから起きあがった。

母親を起こさないようにそっと歩き、暗い居間に行く。

キャビネットの上には、置時計とサッカーボール、それから家族四人で写っている写真がおいてある。

サッカーボールは樹がいつも使っているもの。写真には、四年前に亡くなってしまった父親が写っていた。

(ぜったい、樹をみつけるんだ)

咲は、サッカーボールと写真を目に焼きつけると、静かに外へでていく。

そして、あのゴミ置き場の前へ走っていき、大声で叫んだ。

「オニコさん、かくれんぼしようっ！」

返事はない。咲の声は暗闇に消えていく。

ひるみそうになる気持ちをふるいたたせて、咲はまた叫んだ。

「朝までに私をみつけられなかったら、あんたの負け。そしたらおとなしく祠に帰ってもらうからね！」

やはり返事はなかった。

（オニコ様の話が本当なら、あの日、私がかくれんぼしてたのは、そいつだったのかも）

咲はあたりを見まわした。なにかが現れる気配はない。

（だとしたら、樹を見つけるヒントが――）

そのときだった。

「いーち、にーい…………」

突然どこからか、か細い子どもの声が聞こえてきたのだ。

（え…………声が…………）

「さーん…………しーい…………」

誰かが数を数えている。ゆっくり、ゆっくりと。

（まさか、これ……）

咲の手のひらが、恐怖でじっとりと汗ばんだ。

（本当に……オニコ様なの……？）

オニコ様が数を数えているということは、鬼はオニコ様。咲はどこかにかくれなければいけない。

咲は家にむかって走りだした。そして、一〇二号室のドアノブをまわす。

「おっ、お母さんっ！」

ドアノブはまわるのに、なぜかドアが開かない。

（え!?　開かない!?　どうして……）

何度ひっぱっても、ガチャガチャと金属の音がするだけで、ドアはちっとも開かなかった。

咲はドアを思いきりたたいた。

「お母さん！　起きてっ！　開けてよっ!!」

ドンドンドン、ドンドンドンと激しい音がひびく。

「お母さんっ!!」

こんなに叫んで、うるさくドアをたたきまくっているのに、近所の人は誰も起きてこない。どう考えてもおかしかった。

（なんで？　ぜったいおかしいよっ！）


「はーち…………きゅーう…………」


数を数えるオニコ様の声が、どこからともなく聞こえてくる。

十まで数えたら、オニコ様がさがしにくる。そしてみつかったら、咲の負けだ。

「お母さん!!　お母さんっ!!」

咲は叫びつづけ、ドアをたたきつづけた。もう時間がない。

「じゅ――――う」

声がやんだ。

咲はドアをたたくのをやめ、息をこらした。

「もういいかぁーい」

きっと鬼はすぐにさがしにくる。

ここにいればみつかってしまうだろう。

咲はおそるおそる振りかえると、一気に走りだした。

（どうしよう。どうしよう。かくれなきゃ……………）

しかし、かくれるのにちょうどいい場所が思いつかなかった。

木や生垣や車のかげでは、すぐにみつかってしまう。物置小屋があるが、あそこは管理人が鍵を閉めてしまうので入れない。

（ぜったいみつからない場所に…………）

ふいに、咲の頭のなかに、青いポリバケツのうしろにかくれた樹の姿がよみがえった。

（あのポリバケツ、ふたも閉まるし、けっこう大きかった…………）

咲は全速力であのゴミ置き場に走り、なかに入ってしゃがみ、身をかくした。

（大丈夫…………大丈夫…………ここならみつからない…………）

咲の心臓がドクンドクンと激しく打つ。

耳をすました。

でも、聞こえるのは咲の心臓の音ばかりで、ほかに物音がしない。

（…………なんの気配もない）

その状態のまま、咲はしばらくじっとしていた。

しかし、いっこうに鬼がさがしにくる様子はない。

（もしかして、あきらめたのかな）

咲は、隙間からそっと外をのぞいてみた。

すると目の前に――――。

「もぉおおお、いいかぁぁぁぁい」

うす闇のなか、着物を着た少女が立っていた。

つやのない髪は腰までとどくほど長く、バサバサに乱れている。

うつむいているせいで、顔はほとんど見えなかった。

左手ににぎっているのは、布で作られた不気味な人形……………。

（あ、あれがオニコ様!?）

息をのんだ拍子に少しだけ体が動き、靴の下でミシッと音が鳴った。

着物の少女はその音に気づいたのか、少しだけ顔をあげて、ニタッと笑った。

そして、人形をぶらさげながら、ゆっくりと近づいてくる。

（みつかった!?）

咲はひざを抱えて体をまるめ、オニコ様の動きに目をこらした。

（お願い、お願い!!　お父さん、お母さん、樹っ………!!）

バゴッ！

オニコ様がポリバケツのふたを持ちあげた。

しかし、なかは空っぽだ。

咲はポリバケツではなく、その奥にある、掃除道具をしまう収納ロッカーのなかにひそんでいたのだった。

咲の心臓がドッドッドッと飛びだしそうないきおいで鳴っていた。

オニコ様はしばらくポリバケツの前にたたずむと、ひたひたと去っていった。

（まだでちゃダメだ……まだいるかもしれない……）

咲は石のように体をかたくして、聞き耳をたてた。

どのくらいの時間がたったのだろう。あの足音はもうどこからも聞こえない。遠くからカラスの鳴く声がした。

咲はロッカーの扉を少し開けて、用心深く外の様子をうかがった。

東の空がほんのり明るくなっている。もうすぐ夜明けだ。

咲は思いきり扉を開けて、ロッカーから飛びだした。

（あ……うそ、うそ……やった……）

「わ……私の勝ちだ!!」

オニコ様は咲をみつけることができなかった。つまり、咲が勝ったのだ。

「祠をみつけなきゃ。もしかしたらそこに樹が……」

咲は走りだした。

「今度は、私が鬼!!」

管理人は、祠はところどころに建てられていて、この団地の敷地内にもあると言っていた。

「必ず……必ずみつけるんだ」

咲は髪を振りみだして走り、敷地内のあちこちをさがしまわった。

駐車場のすみ、集会場の裏、給水塔をかこむフェンスの内側――。

でも、祠なんてどこにもない。

「むかえに行くからね、樹っ!!」

咲は、まださがしに行っていない、敷地の一番北のはずれにむかった。

そこには材木やトタン板、鉄パイプなどがまとめておいてある。団地の修復工事をしたときにでた廃材だ。

その廃材置き場の横を、咲が走り抜けようとしたときだった。

ガラガラと大きな音がして廃材の山がくずれ、咲はあわててわきへ飛びのいた。

「あぶなかった………」

よけたいきおいでしりもちをついた咲は、地面に両手をついて、ハアハアと荒い呼吸をくりかえす。やがて顔をあげると、おどろきに目を見開いた。

「………あっ!!」

くずれた廃材のその奥に、小さな祠があったのだ。

まるでみんなから見すてられたように――。

「あ………っ、あった」

咲は立ちあがり、祠にかけていく。

祠は石をつみあげた台座の上に建てられていて、正面に木の扉があった。扉の取っ手につけられた南京錠のツルははずれている。

咲は取っ手をつかみ、祠の扉をひと息に開いた。

「樹！　いるの!?」

祠のなかにいたのは、着物を着た少女の市松人形だった。

どのくらい古いものなのだろう。

つやのない髪は腰までとどくほど長く、バサバサに乱れている。

もとは白かったはずの肌は、汚れてひび割れ、目玉があるはずの部分は、真っ黒な空洞だった。


――き…………。

――咲ちゃん！

「はっ！」

目を開けると、管理人のおじいさんが、咲をのぞきこみあわてふためいていた。

「大丈夫かい!?」

「……ここどこ？」

「廃材置き場だよ。咲ちゃんも樹も、どうしてこんなところに……」

「樹……？　樹はどこ!?」

咲が体を起こすと、すぐ近くに樹が倒れていた。樹もむっくりと起きあがる。

「あれ？　俺、どうしたんだろ……」


朝、祠の前で倒れている咲と樹を、管理人が発見した。

ふたりにケガはなかったが、樹は行方不明になっていた間の記憶をなくしていた。

「気づいたら咲といっしょに地面に寝ててさー。もー、なにがなんだか」

樹はちっとも変わらずに元気で、咲も母親もほっとした。

そのあと祠はきちんと掃除され、近くの神社の神主がやってきてお祓いをした。

「これでもう、誰かが行方不明になることもないよね」

咲は、居間のキャビネットの上におかれた家族写真をみつめ、つぶやいた。

「お父さん。私も樹も、お母さんといっしょにがんばるからね………」

事件が一段落し、咲が学校に行くと、明日美だけがまだ大騒ぎしていた。

「あの団地、とりこわしたほうがいいよね。あんな事件も起きて、ぜったいに呪われてるんだよ〜！」

女子たちの間で興奮しながらしゃべる明日美を、まりえがにらみつけた。

「またあいつ………」

芽衣子が咲をはげますように、力強くうなずく。

「咲、あんなの気にしないで。ね！」

咲はふたりにむかって、にっこりと笑った。

「ぜんぜん平気!!」

（死ぬほどこわい思いをしたけど、私はあの団地が大好き。だって私の家だもんね！）

咲の笑顔があまりに幸せそうだったせいか、明日美は唇をゆがめた。

「ふ、ふん。強がっちゃって………」


その日、明日美はいつものように、軽い足どりで新築の家に帰っていった。

「ただいまーっ」

門の前に立ち、うっとりと自分の家をながめる。

「あんな気持ち悪い団地に住んで、よく平気だよね。それにくらべて、うちは安全だよ」

明日美は門を開けて、美しくガーデニングされた庭に入っていった。

「だって、セキュリティにくわえてこんな祠もあるし、ぜーったいに呪われないっ」

新築の家は、門を入ってすぐ横に、小さな祠がある。

それは石をつみあげた台座の上にあり、正面には木の扉があった。

「お姉ちゃん、おかえり〜〜!!」

明日美の弟が、玄関のドアを開けて、大きく手を振った。

「これからみんなでかくれんぼやるんだっ。お姉ちゃんもいっしょにやろうよ」

「しかたないわね。あとでアイスおごんなさいよ」

明日美が玄関にむかっていく。

そのうしろ姿をじいっとみつめている、真っ黒な空洞の目があった。

祠の扉の取っ手についた南京錠がいつの間にかはずれていて、扉がわずかに開いている。

そのすきまから顔をのぞかせているのは、着物を着た少女の市松人形だった。

エピローグ

百十八時間目の授業は、これで終わります。
古い団地に住む少女は、オニコ様にみつからずにすみました。
もしみつかっていたら……。
弟といっしょにあの世へつれていかれてしまったのかもしれません。
かくれんぼにまつわるおそろしい都市伝説は、たくさんあります。
たとえば、ぬいぐるみを相手にかくれんぼをする「ひとりかくれんぼ」。
これをやると、あなたがかくれている間に、いろいろな怪現象が起きるそうです。
ほかにも、友だちとのかくれんぼで鬼をやっていたら、知らない子をみつけてしまった
……なんていう話もあります。

その子は、みんなが集まるころには、消えてしまったそうですよ。

みなさんも、かくれんぼをするなら、全員ちゃんと知っている子かどうか確認してからにしましょうね。

誰が鬼かわからないときは、要注意です。

それでは、次回の絶叫学級でまたお会いしましょう！

絶叫学級
課外授業「月明かりの窓」
RMC『絶叫学級 転生』⑮巻 授業67
こんにちは
もう1つの絶叫学級へようこそ
ここでは皆さんを恐怖の入口にご案内します
漫画を描くのが大好きな少女 環…
ある晩 彼女が出会ったのは不思議な少年でした

彼と夜の文通を重ねる環
何年生？名前は？私は小山環です。
名前は蓮 小6だよ
漫画が完成したら見せると約束した2人
しかし彼には
恐ろしい秘密があったのです
果たしてその秘密とは
彼の正体は一体…
くすくす
絶叫学級 転生
15
いしかわえみ
RMC
真相は『絶叫学級 転生』15巻でどうぞ
くすくす

この作品は、集英社よりコミックスとして刊行された『絶叫学級 転生』1、5、10、11巻をもとに、ノベライズしたものです。

集英社みらい文庫

絶叫学級（ぜっきょうがっきゅう）

コンプレックスの奴隷（どれい） 編（へん）

いしかわえみ　原作・絵

はのまきみ　著

ファンレターのあて先
〒101-8050　東京都千代田区一ツ橋2-5-10　集英社みらい文庫編集部
いただいたお便りは編集部から先生におわたしいたします。

2021年　10月27日　第1刷発行
2025年　2月18日　第3刷発行

発行者　今井孝昭
発行所　株式会社 集英社
〒101-8050　東京都千代田区一ツ橋2-5-10
電話　編集部 03-3230-6246
読者係 03-3230-6080
販売部 03-3230-6393（書店専用）
https://miraibunko.jp
装　丁　小松昇（Rise Design Room）　中島由佳理
印　刷　TOPPAN株式会社
製　本　TOPPAN株式会社

★この作品はフィクションです。実在の人物・団体・事件などにはいっさい関係ありません。
ISBN978-4-08-321684-8　C8293　N.D.C.913　170P　18cm

絶叫学級
罠に落ちたライバル編
いしかわえみ・原作/絵
はのまきみ・著
集英社みらい文庫
宿敵たちの邪悪なたくらみ――

既刊案内

1 禁断の遊び 編
2 暗闇にひそむ大人たち 編
3 くずれゆく友情 編
4 ゆがんだ願い 編
5 ニセモノの親切 編
6 プレゼントの甘いワナ 編
7 いつわりの自分 編
8 ルール違反の罪と罰 編
9 終わりのない欲望 編
10 悪夢の花園 編
11 いじめの結末 編
12 家族のうらぎり 編
13 不幸を呼ぶ親友 編
14 死を招く都市伝説 編
15 呪われた初恋 編
16 満たされないココロ 編
17 笑顔の裏の本音 編
18 ナイモノねだりの報い 編
19 人気者の正体 編
20 いびつな恋愛 編
21 つきまとう黒い影 編
22 悪意にまみれた友だち 編
23 災いを生むウワサ 編
24 悪魔のいる教室 編
25 むきだしの願望 編
26 還り道のない旅 編
27 黄泉の誕生 編
28 むしばまれた家 編
29 繰りかえすコドモタチ 編
30 見えない侵入者 編
31 赤い断末魔 編
32 コンプレックスの奴隷 編
33 ウワサ話の黒幕 編
34 報復ゲームのはじまり 編
35 パーティーのいけにえ 編
36 恋人たちの化けの皮 編
37 しのびよる毒親 編
38 黄泉に眠る記憶 編
39 檻のなかの怨念 編
40 罠に落ちたライバル 編

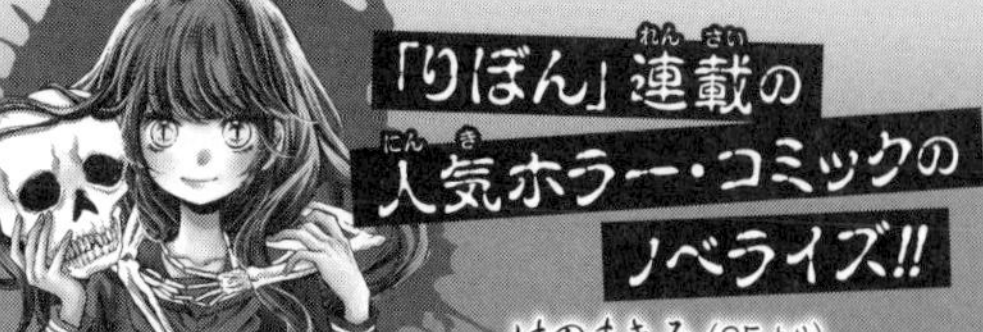

「りぼん」連載の人気ホラー・コミックのノベライズ!!

いしかわえみ・原作/絵
はのまきみ（25より）
桑野和明（24まで）・著

こちらもオススメ！

3 くずれゆく友情編

昔の卒業アルバムを見ていたら別世界に飛び、写真の人物が目の前に現れる「黄泉の真実」ほか3話を収録。

13 不幸を呼ぶ親友編

友だちをほしがっている少女のもとに、差出人不明の手紙が届きはじめる「ベストフレンド」ほか3話を収録！

22 悪意にまみれた友だち編

容姿を変えられるプリクラで友だちを見返したい少女を描いた「プリント・コレクション」ほか4話を収録！

第14回みらい文庫大賞
大賞受賞作
死にたくないならサインして
裏切り
ニセモノ
狐狗狸
作 日部星花
絵 wogura
正義の味方か？地獄の使者か？
超・新感覚ホラー!!
大好評発売中

だってわたしは、
怪異対策コンサルタントですから！
まずはサインをしてもらって、それから
お話を聞かせてくれませんか？

どしゃり。それは、人だった。
腕と足がおかしな方にまがってる。
じわじわと、身体の下に血溜まりができていく。

水橋ユキ（中1）には誰にも言えない悩みがあった。
毎日決まった時間に、彼女にだけ見えるのだ。
——女の子が、真っ逆さまに落ちていくのが。
友人のすすめで、【怪異対策コンサルタント】を
しているという緋宮せいらに相談することに。
血のように真っ赤な契約書を取りだし、話を聞くせいら。
一体何者なのだろう？　信じてよいのだろうか——？

「みらい文庫」読者のみなさんへ

言葉を学ぶ、感性を磨く、創造力を育む……、読書は「人間力」を高めるために欠かせません。
たった一枚のページをめくる向こう側に、未知の世界、ドキドキのみらいが無限に広がっている。
これこそが「本」だけが持っているパワーです。

学校の朝の読書に、休み時間に、放課後に……。いつでも、どこでも、すぐに続きを読みたくなるような、魅力に溢れる本をたくさん揃えていきたい。読書がくれる、心がきらきらしたり胸がきゅんとする瞬間を体験してほしい、楽しんでほしい。みらいの日本、そして世界を担うみなさんが、やがて大人になった時、「読書の魅力を初めて知った本」「自分のおこづかいで初めて買った一冊」と思い出してくれるような作品を一所懸命、大切に創っていきたい。

そんないっぱいの想いを込めながら、作家の先生方と一緒に、私たちは素敵な本作りを続けていきます。「みらい文庫」は、無限の宇宙に浮かぶ星のように、夢をたたえ輝きながら、次々と新しく生まれ続けます。

本を持つ、その手の中に、ドキドキするみらい――。
本の宇宙から、自分だけの健やかな空想力を育て、〝みらいの星〟をたくさん見つけてください。
そして、大切なこと、大切な人をきちんと守る、強くて、やさしい大人になってくれることを心から願っています。

2011年　春

集英社みらい文庫編集部